Stéphane Gaborieau

Cuisine lyonnaise d'hier & d'aujourd'hui

Photographies : Aline Périer

EDITIONS OUEST-FRANCE

som

maire

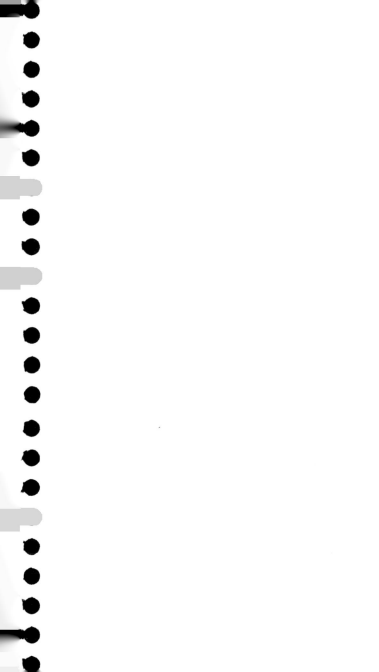

introduction

A l'instar des peintres, dont je me sens proche, j'ai vécu différentes périodes dans ma vie de cuisinier : celle qui s'est esquissée dans mon Sud-Ouest natal empreint de générosité, puis les années parisiennes suivies d'une escale sur la Riviera pour enfin poser mes valises à Lyon. La capitale de la gastronomie est un fabuleux carrefour d'influences. Ma cuisine s'est enrichie de ces histoires croisées, de l'héritage du commerce séculaire avec les riches marchands florentins.

Des produits des terroirs de la région, les poulets de la Bresse, les truites de l'Ain, les féras, lavarets et ombles des lacs de Savoie, la truffe du Tricastin, les cardons des maraîchers de Vaux-en-Velin, les gibiers, les brochets et les grenouilles de la Dombes, pour ne citer que les plus connus, sans oublier le riche éventail des vins et des liqueurs. Des spécialités charcutières dégustées au cours des mâchons, ces casse-croûte roboratifs hélas ! en voie de disparition. Des fromages exceptionnels de caractère, affinés par les Mères Richard, installées dans les halles de Lyon, centre névralgique des gourmands lyonnais.

Quelques années après mon arrivée en terres lyonnaises, une rencontre hors du temps et hors du commun m'a encore rapproché de cette cuisine d'émotions. Une femme, dont le nom et la vie resteront à jamais un mystère, a rédigé, à la fin du XIXe siècle, un très beau cahier de recettes avec de belles lettres calligraphiées à la plume. En effeuillant les pages de ce magnifique ouvrage, je me suis laissé porter par les délicats festins que cette Cuisinière lyonnaise* avait composés. L'anonyme m'avait guidé sur les traces des célèbres Mères lyonnaises et à leurs plats qui sont devenus emblématiques du mariage réussi de la tradition familiale et de la cuisine bourgeoise.

Stéphane Gaborieau

* Cuisinière lyonnaise, éditions Stéphane Bachès.

grattons à la lyonnaise

Pour 4 personnes

- *1 kg de gras de canard coupé en gros dés*

Dans une cocotte en fonte, faire frire dans du saindoux (ou friteuse à 160 °C) les morceaux de gras de canard pendant 25 min.

Les sortir de la cocotte avec une passoire. Les égoutter et saler à chaud. Laisser refroidir. Les grattons se servent dans un saladier, froids à l'apéritif.

gnafron à la fondue de poireaux

Pour 4 personnes

- *1 saucisson à cuire coupé en tranches de 5 mm (crues), 2 blancs de poireau lavés et émincés, 80 g de beurre*

- *Pour l'appareil à quiche*
  3 jaunes d'œufs, 2 œufs entiers, 50 cl de crème, sel, poivre et noix de muscade

Mélanger tous les ingrédients de l'appareil à quiche dans un bol.

Dans une poêle, faire suer les blancs de poireau 180 °C avec le beurre. Saler et poivrer.

Mélanger avec les ingrédients de l'appareil à quiche.

Dressage

Passer les tranches de saucisson crues au four à 180 °C pendant 2-3 min afin qu'elles fassent des dômes (incurvés).

Mélanger l'appareil à quiche avec les poireaux et remplir les dômes puis les repasser au four pendant 4 min à 160 °C.

palets d'andouillette panés aux noisettes

Pour 4 personnes

- *2 andouillettes taillées en tranches, 80 g de beurre, 5 cl d'huile d'arachide*
- *Pour la chapelure*
- *100 g de farine, 2 œufs entiers battus, sel, poivre,*
- *100 g de poudre de noisettes, 200 g de pain de mie passé en chapelure*

Dans un grand bol, mélanger la poudre de noisettes et le pain de mie.

Passer les tranches d'andouillette dans la farine.

Puis les tremper dans les œufs battus.

Rouler ensuite les tranches d'andouillette dans la chapelure.

Les poêler 3 min de chaque côté dans du beurre.

Servir chaud.

τomates farcies
à la cervelle de canut

Pour 4 personnes

16 tomates cerises grappe vidées (en gardant les chapeaux)

Appareil à cervelle de canut
100 g de fromage blanc, 1/2 échalote ciselée, 1/2 gousse d'ail écrasée,
1 cuillerée à soupe de ciboulette ciselée,
1 cuillerée à soupe de vinaigrette de vin rouge, sel et poivre du moulin

Dans un bol, mélanger les ingrédients de la cervelle de canut.
Puis farcir les petites tomates cerises. Remettre les chapeaux.
Présenter dans un plat de service.
Servir froid.

pommes grenaille fourrées aux petits-gris, sauce vin rouge

Pour 4 personnes

20 petites pommes grenaille (les cuire à l'eau puis les creuser, ne pas les éplucher), 20 petits-gris (escargots) sautés en persillade (ail, échalotes, persil, poudre d'amandes)

Pour la sauce vin rouge
500 g d'échalotes émincées, 1 l de vin rouge, 1 bouquet garni (voir page 147), 1 cuillerée à café de mignonnette de poivre, 50 g de beurre

Dans une casserole, mettre l'échalote, le bouquet garni, le poivre.

Ajouter le vin rouge, mouiller à hauteur (au-dessus des ingrédients).

Laisser réduire.

Une fois la sauce bien réduite, monter avec le beurre. On doit obtenir une sauce épaisse.

Cuire les pommes grenaille (non épluchées).

Les creuser en gardant un chapeau.

Dans une poêle, faire sauter en persillade les petits-gris (avec l'ail, l'échalote, le persil et la poudre d'amandes).

Farcir les pommes grenaille avec les petits-gris.

Disposer dans un plat allant au four.

Verser la sauce au vin rouge dessus.

Réchauffer le tout à 160 °C pendant 4-5 min.

Servir chaud.

velouté de pois cassés aux copeaux de truffe

Pour 4 personnes

200 g de pois cassés (trempés dans de l'eau tiède pendant 2 h), 1 carotte et 1 oignon (épluchés et émincés), 1 bouquet garni (voir page 147)
150 g de poitrine fumée blanchie, 60 g de beurre, 40 g de truffes fraîches en copeaux, 10 cl de crème montée, 2 cuillerées à soupe d'huile de noisette, sel, poivre

Dans une cocotte, faire suer au beurre la carotte, l'oignon et la poitrine fumée entière.

Ajouter les pois cassés égouttés.

Mouiller le tout 5 cm au-dessus des ingrédients.

Ajouter le bouquet garni.

Laisser cuire 45 min à feu frémissant.

Une fois cuit, retirer la poitrine fumée de la cocotte (elle peut servir pour un autre plat).

Mixer le reste des ingrédients.

Passer au chinois étamine.

Ajouter la crème montée, et l'huile de noisette.

Verser dans une soupière.

Juste avant de servir chaud, parsemer de copeaux de truffe.

gratinée d'oignons
en croûte de beaufort

Pour 4 personnes

- *400 g d'oignons (épluchés et émincés), 80 g de beurre*
- *3 gousses d'ail, 10 cl de vin blanc, 1,5 l de consommé (bouillon de pot-au-feu), 20 croûtons dorés au four, 80 g de beaufort*

Dans une casserole, faire suer les oignons et l'ail avec le beurre jusqu'à coloration châtain.

Déglacer au vin blanc.

Réduire à sec jusqu'à ce qu'il n'y ait plus de jus (pour enlever l'acidité).

Mouiller au consommé.

Laisser cuire 20 bonnes minutes à feu moyen.

Une fois cuit, mettre le bouillon dans quatre soupières individuelles.

Ajouter les croûtons dorés puis le beaufort.

Passer au four pour gratiner le tout.

Facultatif : vous pouvez ajouter une cuillerée à soupe de farine et déglacer au vin blanc afin d'épaissir le consommé.

Bouillon de pot-au-feu aux vermicelles de jaunes d'œufs, ravioles de Romans

Pour 4 personnes

1 l de bouillon de pot-au-feu, 6 jaunes d'œufs,
2 plaquettes de ravioles de Romans,
pluches de cerfeuil, sel, poivre

Faire bouillir le bouillon de pot-au-feu.

Passer les jaunes d'œufs sur le bouillon à travers un chinois étamine et, à l'aide d'une cuillère, remuer sans interruption jusqu'à l'obtention d'un « vermicelle ».

Faire cuire les ravioles dans 50 cl d'eau bouillante pendant 10 s.

Ajouter les ravioles de Romans déjà cuites dans le bouillon.

Rajouter quelques pluches de cerfeuil, saler et poivrer.

Mettre dans une soupière. Servir chaud.

soupe de lentilles aux grattons de lard

Pour 4 personnes

*300 g de lentilles du Puy (trempées dans de l'eau tiède pendant 2 h),
6 tranches de lard (les couper en dés et les frire dans une poêle en fonte sans
matière grasse), 10 cl de crème liquide montée (battue à la fourchette)*

Pour la garniture
*10 gousses d'ail épluchées et émincées, 2 échalotes épluchées et émincées,
1 branche de céleri épluchée et émincée, 1 bouquet garni*

Dans un faitout, cuire les lentilles avec la garniture.

Recouvrir d'eau 5-6 cm au-dessus des lentilles.

Les cuire pendant 30 min (les lentilles doivent être bien cuites).

Enlever le bouquet garni du faitout.

A l'aide d'un mixeur, mixer le tout et passer au chinois étamine.

Disposer le tout dans une soupière.

Juste avant de servir, ajouter la crème montée et les dés de lard frits.

Servir chaud.

velouté de courge, brisures de châtaigne, chantilly de boudin noir

Pour 10 personnes

1 courge (enlever le couvercle et la vider de ses pépins, garder la chair de la courge à l'intérieur), 1 baguette, 1 l de crème fraîche, 50 cl de lait, sel, poivre, noix de muscade

Brisures de châtaigne
400 g de châtaignes crues

Chantilly de boudin noir
300 g de boudin noir, 3 cuillerées à soupe de crème montée à la fourchette

Remplir l'intérieur de la courge avec la crème fraîche, le lait, le sel, le poivre et la noix de muscade.

La cuire au four à 140 °C pendant 2 h.

Inciser la peau des châtaignes d'une croix à l'aide d'un couteau et les passer au four pour les éplucher.

Les émincer.

Enlever la peau du boudin et passer la chair au robot.

Dans un bol, mélanger la crème montée à la chair du boudin.

Rectifier l'assaisonnement.

Préparer douze tranches de pain (baguette) et les faire griller.

Les tartiner de chantilly de boudin noir.

Dressage

Une fois la courge cuite, disposer les tranches de pains autour (sur les bords). Ajouter les brisures de châtaigne sans le velouté juste avant de servir chaud.

velouté de volaille
et ris de veau

Pour 4 personnes

300 g de blanc de volaille de Bresse ou fermière, 160 g de ris de veau, 1 petit oignon, 1 carotte, 1 petit bouquet garni, 30 cl de crème fleurette, 100 g de beurre, 20 g de farine, 100 g de champignons (morilles, champignons de Paris, cèpes, etc.), 6 cl de marsala, sel et poivre du moulin

Pocher les blancs de volaille dans un peu d'eau salée et poivrée environ 15 min. Braiser les ris de veau de la façon suivante : blanchir les ris de veau, refroidir, enlever la petite peau et les nerfs.

Dans une petite sauteuse, faire fondre le beurre (50 g), colorer les ris de veau sur toutes les faces sans exagération.

Ajouter l'oignon émincé et la carotte émincée.

Déglacer avec le marsala et mouiller avec trois verres d'eau.

Cuire 10 min. Retirer les ris de veau, passer le jus.

Dans le sautoir, faire fondre 20 g de beurre, ajouter la farine, faire un petit roux.

Mouiller avec le jus de ris de veau, faire bouillir en fouettant, laisser réduire jusqu'à épaississement.

Mettre la crème. Hacher les champignons finement, les faire suer au beurre, ajouter dans le velouté. Rectifier l'assaisonnement.

Dans quatre assiettes à soupe, mettre au fond les blancs de volaille et ris de veau coupés en petits morceaux suivant votre goût. Verser le velouté dessus très chaud, servir.

Artichauts à la barigoule

Pour 4 personnes

6 artichauts (dont on a gardé les dernières feuilles tendres),
1/2 carotte taillée en mirepoix (en dés), 1 échalote ciselée, 2 gousses d'ail,
1 bouquet garni (voir page 147), 5 cl d'huile d'olive, 50 g de beurre,
5 feuilles de basilic ciselées, 50 cl de vin blanc

Dans un faitout, couper les artichauts en six et les faire suer à l'huile d'olive.

Ajouter l'échalote, l'ail, la carotte.

Laisser cuire pendant 2-3 min puis recouvrir de vin blanc et ajouter le bouquet garni.

Porter à ébullition pendant 3-4 min à feu moyen.

La cuisson terminée, ajouter le beurre et le basilic ciselé dans cette préparation.

Verser le tout dans un plat creux. Servir chaud.

Suggestion : vous pouvez servir froid, dans ce cas ne mettez pas de beurre.

Dents-de-lion, œuf poché, lardons et croûtons à l'ail

Pour 4 personnes

250 g de dents-de-lion (pissenlits) épluchés et lavés, 4 œufs pochés (pendant 3 min, sans la coquille, dans de l'eau bouillante vinaigrée non salée), 8 tranches fines de lard (les faire sécher au four doux à 120 °C/140 °C pendant 20 min), 12 croûtons grillés et frottés à l'ail

Pour la vinaigrette

Dans un bol mettre : 1 cuillerée à soupe de moutarde à l'ancienne, 2 cuillerées à soupe de vinaigre de xérès, sel, poivre (avant de mettre l'huile car le sel ne se dissout jamais dans une matière grasse), 2 cuillerées à soupe d'huile, 1 cuillerée à soupe de fines herbes

Dressage

Prendre quatre assiettes.

Disposer les dents-de-lion dans chaque assiette.

Assaisonner les dent-de-lion avec la vinaigrette.

Ajouter dessus les œufs pochés, les croûtons et les tranches de lard séchées.

Servir.

Important : l'œuf mollet se sert tiède.

veau façon thon

Pour 4 personnes

1 kg de noix de veau coupée en gros dés (3-4 cm), 1 carotte épluchée, 1 oignon épluché et clouté de 3 clous de girofle, 3 gousses d'ail, 1 bouquet garni (voir page 147), sel

Pour la marinade
1 carotte, 1 échalote, 3 gousses d'ail, thym, 3 feuilles de laurier

Faire dégorger les morceaux de noix de veau dans de l'eau glacée pendant 3 h.

Mettre le veau avec la carotte, l'oignon, l'ail et le bouquet garni dans une cocotte.

Bien saler, recouvrir d'eau et laisser cuire à 85 °C pendant plus de 2 h.

Une fois cuits, égoutter les morceaux de noix de veau sur un linge sec.

Faire la marinade

Dans un saladier, émincer la carotte crue, l'échalote, l'ail, les feuilles de laurier et le thym.

Ajouter les morceaux de noix de veau cuits.

Mélanger le tout et couvrir d'huile d'olive.

Laisser mariner pendant 24 h au réfrigérateur.

Variante : on peut faire des petits bocaux, à servir à l'apéritif ou en entrée avec une salade verte.

Harengs marinés, pommes ratte en salade

Pour 4 personnes

1 kg de pommes ratte, vin blanc, 8 filets de hareng, huile d'arachide

Pour la marinade
1 carotte épluchée et émincée, 1 oignon épluché et émincé, 2 gousses d'ail, 10 graines de poivre, 20 pluches de persil, thym et laurier

Mélanger les ingrédients de la marinade dans un grand bol.

Disposer les filets de hareng sur cette préparation.

Recouvrir d'huile d'arachide.

Cuire à l'anglaise 1 kg de pommes ratte avec leur peau, dans de l'eau salée bouillante (à l'anglaise) pendant 10 min.

Une fois cuites, les couper en tranches.

Les mettre dans un saladier.

Les arroser avec un peu de vin blanc sec.

Rajouter les harengs marinés sur les pommes ratte.

œufs pochés meurette

Pour 4 personnes

- 8 œufs bien frais et pochés dans du vin rouge chaud (3 min)
- 8 tranches de pain de mie (ou baguette) poêlées dans de l'huile de noisette
- 8 oignons fanes (cébettes) cuits à l'anglaise (eau salée)
- 4 tranches de poitrine fumée taillées (coupées en quatre)
- 4 cuillerées à soupe de fond de veau de ménagère (en poudre)
- 80 g de beurre

Pour la sauce meurette
- 500 g d'échalotes ciselées, 1 morceau de poitrine fumée, 1 l de vin rouge,
  1 cuillerée à café de mignonnette de poivre, 1 bouquet garni

Dans une casserole, mettre tous les ingrédients de la sauce meurette.
Réduire le tout à sec.

Une fois réduit, ajouter le fond de veau de ménagère (qui aura été dilué
dans une casserole d'eau froide).

Faire bouillir pendant 2-3 min, ajouter le beurre et passer le tout dans une étamine.

Dressage

Dresser les tranches de pain grillées sur des assiettes individuelles.

Poser les œufs pochés sur les tranches.

Les arroser de sauce meurette et ajouter dessus les dés de poitrine et de cébette passés au beurre.

Servir chaud.

Gâteau de foies de volaille

Pour 4 personnes

250 g de foies de volaille, 2 œufs entiers et 3 jaunes d'œufs,
50 cl de crème, 2 gousses d'ail épluchées, 100 g de moelle de bœuf,
1/2 bouquet de persil, 60 g de beurre pommade (ramolli à température
ambiante), sel, poivre

Pour le coulis de tomate
1 kg de tomates (cœur-de-bœuf de préférence), 1 oignon émincé, 2 gousses
d'ail, 5 cl d'huile d'olive, 1 bouquet garni (voir page 147), sel et poivre

Beurrer quatre petits ramequins.

Dans un grand bol, mixer les foies, les œufs, la crème, l'ail, la moelle, le persil. Saler et poivrer.

Verser cette préparation dans les ramequins et cuire au bain-marie pendant 45 min à four moyen.

Prendre une casserole, et laisser cuire à feu doux, pendant 20 min les ingrédients du coulis de tomates, mixer et passer au chinois.

Démouler les ramequins dans des assiettes individuelles, et juste avant de servir, arroser du coulis de tomates.

Servir chaud.

Facultatif : vous pouvez ajouter une cuillerée à soupe de riz cru dans la cuisson du coulis afin de le rendre plus épais.

salade de pousses d'épinard aux foies de volaille

Pour 4 personnes

200 g de pousses d'épinard équeutées et bien lavées, 320 g de foies de volaille dénervés (enlever le vert du fiel du foie), 10 g de beurre, 2 échalotes ciselées, 3 cuillerées à soupe de vinaigre de framboise, 2 cuillerées à soupe d'huile d'arachide (ou pépins de raisin), sel, poivre

Dans une poêle antiadhésive, faire sauter les foies de volaille avec le beurre.

Ajouter ensuite dans la poêle l'échalote.

Assaisonner le tout (sel, poivre).

Déglacer au vinaigre de framboise (ou balsamique).

Ajouter de l'huile d'arachide dans la poêle.

Disposer les pousses d'épinard sur des assiettes individuelles.

Parsemer les foies de volaille sur les pousses d'épinard.

Servir.

Important : les foies de volailles doivent être servis chauds.

salade de lentilles

Pour 4 personnes

400 g de lentilles

Pour la garniture
2 gousses d'ail, 1 oignon piqué avec 3 clous de girofle,
1 bouquet garni (voir page 147), 1 branche de céleri, 1 carotte

Pour la vinaigrette
1 cuillerée à soupe de moutarde à l'ancienne, 2 cuillerées à soupe de
vinaigre de xérès, sel, poivre, 2 cuillerées à soupe d'huile,
1 cuillerée à soupe de fines herbes

Faire tremper les lentilles dans de l'eau tiède pendant plus de 1 h et les égoutter. Les mettre dans une casserole avec la garniture.

Recouvrir d'eau froide et cuire pendant 40 à 50 min à feu doux.

Une fois cuites, les égoutter et enlever la garniture aromatique.

Faire la vinaigrette avec la moutarde, le vinaigre.

Saler et poivrer avant de mettre l'huile pour dissoudre le sel.

Ajouter l'huile et les fines herbes.

Verser les lentilles égouttées dans un saladier.

Ajouter la vinaigrette, mélanger le tout.

Servir. Cette salade peut être servie tiède.

La cochonnaille

salade de museau

Pour 4 personnes

600 g de museau de porc coupé en tranches fines, 10 cornichons émincés,
1 oignon émincé, 3 tomates émondées et coupées en quartiers, fines herbes

Pour la vinaigrette
vinaigre balsamique, sel, poivre, huile d'olive, fines herbes

Mettre dans un saladier tous les ingrédients.

Assaisonner le tout au vinaigre balsamique et à l'huile d'olive, sel, poivre.

Ajouter des fines herbes.

Servir frais.

salade de cervelas
à la mayonnaise

Pour 4 personnes

8 cervelas, 1 oignon ciselé, 1/2 bouquet de persil haché

Sauce mayonnaise moutardée
2 jaunes d'œufs, 25 cl d'huile d'arachide, 1 cuillerée à soupe de moutarde,
1/2 cuillerée à soupe de vinaigre, sel, poivre

Faire une mayonnaise en incorporant d'abord le vinaigre et la moutarde, le sel et le poivre, les jaunes d'œufs. Monter à l'huile.

Eplucher et couper les cervelas en rondelles.

Les mettre dans un saladier. Ajouter la mayonnaise, l'oignon ciselé et le demi-bouquet de persil haché.

Servir frais.

salade de pieds de veau et d'agneau

Pour 4 personnes

2 pieds de veau (coupés dans le sens de la longueur), 12 pieds d'agneau, vinaigre, 1 court-bouillon (voir page 142), 2 cuillerées à soupe de crème fraîche, 1 bouquet garni (voir page147)

Pour la mayonnaise
Voir recette « Salade de cervelas »

Cuire séparément les pieds de veau et d'agneau au court-bouillon (départ eau froide) pendant 1 h 30. Bien vinaigrer le court-bouillon et ajouter la garniture aromatique.

Une fois cuits, bien désosser les pieds de veau ainsi que les pieds d'agneau (bien enlever la boule de poils se trouvant au centre du pied d'agneau).

Préparer une mayonnaise. Rajouter deux cuillerées à soupe de crème fraîche épaisse.

Découper les pieds cuits en petits dés, puis les mettre dans un saladier. Incorporer la mayonnaise. Servir frais.

saucisson brioché
aux pistaches

Pour 4 personnes

1 saucisson pistaché cru, 1 pâte à brioche (ou pâte à feuilletage),
3 jaunes d'œufs, 1 court-bouillon (voir page 142)

Pocher le saucisson 15 min dans un court-bouillon chaud, puis l'éplucher.

Enduire le saucisson avec deux jaunes d'œufs, puis l'envelopper dans la pâte briochée.

Dorer la pâte à brioche avec le troisième jaune d'œuf.

Cuire cette préparation dans le four à 180 °C pendant 15 à 20 min.

Après la cuisson, mettre dans un plat à service en coupant en tranches. Servir chaud.

pieds de porc panés

Pour 4 personnes

4 *pieds de porc (flambés pour enlever les poils et bandés dans une bande de gaze, puis ficelés), 1 jaune d'œuf, moutarde, beurre*

Pour le court-bouillon
1 carotte, 1 oignon, 2 gousses d'ail, 1 bouquet garni (voir page 147), poivre

Chapelure
8 tranches de pain de mie frais

Dans un faitout, cuire les pieds de porc dans le court-bouillon pendant 1 h, à frémissement, afin d'éviter qu'ils se déchirent.
Une fois cuits, enlever la bande de gaze, les laisser refroidir.
Les couper en deux dans le sens de la longueur.

Montage

Préparer une chapelure en passant le pain de mie dans un robot jusqu'à obtenir une chapelure fine.

Enduire les pieds de porc de moutarde délayée avec un jaune d'œuf, puis paner les pieds de porc avec la chapelure.

Les réchauffer à la poêle dans un beurre mousseux 5-6 min de chaque côté.

Servir dans des assiettes chaudes.

salade de gras-double
à la moutarde à l'ancienne

Pour 4 personnes

2 bonnets (chez les charcutiers)

Mayonnaise
Voir recette « Salade de cervelas »

Tailler les bonnets en lamelles et les cuire dans une eau froide vinaigrée pendant 10 min. Les égoutter.

Faire une mayonnaise à base de moutarde à l'ancienne.

Mettre les lamelles froides dans un saladier. Rajouter la mayonnaise. Servir.

Facultatif : rajouter des herbes fraîches (persil, ciboulette, vert de cébettes).

Tablier de sapeur doré, sauce vierge

Pour 4 personnes

4 carrés de panse de bœuf, huile d'arachide, beurre, 1 jus de citron, 8 tranches de pain de mie (pour la chapelure)

Pour la marinade
vin blanc, moutarde, sel et poivre

Pour la sauce vierge
1 tomate émondée et épépinée coupée en dés, 1 citron épluché et en quartiers, 1 cuillerée à soupe de câpres, 10 cl d'huile d'olive

Faire mariner la panse dans la marinade pendant 2 h.

Pendant ce temps, préparer la sauce vierge : mettre dans un bol le citron, sel et poivre, puis l'huile d'olive. Rajouter les câpres et les dés de tomate.

Égoutter les carrés de panse, puis les paner dans la chapelure.

Les cuire meunière (huile d'arachide et beurre dans une poêle chaude) pendant 2-3 min de chaque côté jusqu'à coloration.

En fin de cuisson, déglacer à l'aide du jus de citron.

Dressage

Une fois le tablier de sapeur coloré, le mettre dans un plat et ajouter dessus la sauce vierge.

Facultatif : rajouter des herbes (persil, ciboulette).

paquets de couennes

Pour 4 personnes

6 couennes de porc coupées en lanières

Pour la garniture
2 oignons, 1 échalote, 4 clous de girofle, 2 carottes, 1 bouquet garni (voir page 147), 1 branche de céleri, 2 blancs de poireau, sel

Couper les couennes en lanières. Former des paquets à l'aide de ficelle de cuisson.

Mettre les paquets de couennes dans une casserole. Mouiller à hauteur d'eau froide.

Porter à ébullition afin d'enlever les impuretés. Ajouter toute la garniture et laisser cuire à feu doux pendant 1 h environ.

Servir dans la cocotte, très chaud.

Tripes gratinées

Pour 4 personnes

*3 carottes, 2 oignons, 50 cl de vin blanc, 2,5 kg de gras-double,
1 cuillerée de concentré de tomate, 2 cuillerées de farine,
1 kg de tomates, 1 l de fond de veau*

Faire revenir les carottes et les oignons émincés dans le beurre.

Mettre de la farine et du concentré de tomate, puis déglacer avec du vin blanc.

Ajouter une petite fondue de tomates fraîches, du fond de veau, et les morceaux de tripes marinés dans le vin blanc et les herbes de Provence.

Ajouter un clou de girofle, des feuilles de laurier, du sel, du poivre et faire mijoter toute la journée.

Dresser les tripes dans une terrine allant au four.

Ajouter une pomme de terre coupée en lamelles, recouvrir avec très peu de gruyère ou de mie de pain selon les goûts, passer au four.

Déguster directement dans le plat.

sabodet

Pour 4 personnes

1 sabodet, 800 g de pommes de terre épluchées, 2 oignons, 1 cube de bouillon de poule, sel et poivre

Vinaigrette à l'échalote
3 cuillerées à soupe de vinaigre, 9 cuillerées à soupe d'huile, 1 cuillerée à soupe de moutarde, 2 cuillerées à soupe d'échalotes ciselées, sel et poivre

Dans un faitout, mettre le sabodet dans l'eau froide. Ne pas le piquer.

Ajouter un cube de bouillon de poule, les oignons, les pommes de terre, sel, poivre. Laisser cuire le tout pendant 25 min.

Disposer dans un plat le sabodet avec les pommes de terre autour.

Servir avec des cornichons, la vinaigrette à l'échalote et des oignons au vinaigre.

filets de truite à l'oseille

Pour 4 personnes

4 filets de truite de mer (sans peau ni arêtes), 2 bouquets d'oseille équeutée et lavée, 1 échalote ciselée, 150 g de crème épaisse, noix de muscade, 50 g de beurre, sel, poivre

Dans une poêle, faire suer l'échalote ciselée dans le beurre, ajouter l'oseille et la noix de muscade jusqu'à ce qu'elle fonde. Incorporer la crème.

Réduire jusqu'à épaississement.

Beurrer un plat à four et mettre les filets de truite assaisonnés (sel, poivre).

Arroser de crème d'oseille et cuire au four très chaud pendant 5 à 7 min à 160 °C.

Servir dans le plat sorti du four.

perche en filets meunière

Pour 4 personnes

12 filets de perche, 60 g de beurre, 1 jus de citron, 1/2 bouquet de persil haché, sel, poivre

Prendre une poêle antiadhésive et ajouter le beurre.

Attendre qu'il mousse et ajouter les filets de perche salés et poivrés.

Cuire 3 min.

Une fois colorés, ajouter le jus de citron et le persil au moment de servir.

Facultatif : il est possible de tamponner les poissons de farine avant de cuire meunière.

anguille à la tartare

Pour 4 personnes

2 grosses anguilles (faire enlever la peau par votre poissonnier puis tailler en tronçons de 8 cm environ), 150 g de farine, 20 cl de lait, 100 g de beurre, 60 g de cornichons, 40 g de câpres, 4 branches de persil haché, 1 œuf dur haché, sel, poivre

Sauce tartare

Faire une mayonnaise classique et incorporer des cornichons hachés, des câpres, du persil haché et des jaunes d'œufs durs hachés.

Tremper les tronçons d'anguille dans le lait, puis la farine. Saler et poivrer. Dans un plat à rôtir, les cuire dans le beurre pendant 10 min. Les sortir. Dresser directement dans les assiettes et servir chaud.

quenelles de brochet, crème de homard

Pour 4 personnes

500 g de chair de brochet, 30 cl de crème, 5 jaunes d'œufs, 50 g de Maïzena, 80 g de beurre, sel, poivre, noix de muscade

Pour la crème de homard
2 homards concassés, 5 cl de vin blanc, 1 verre de cognac, 30 cl de crème, 1 cl d'huile d'olive

Pour la garniture
1 échalote, 1 branche d'estragon, 2 tomates fraîches (facultatif)

Dans une sauteuse, faire suer les homards avec l'huile, ajouter la garniture.

Déglacer au cognac puis au vin blanc, réduire à sec et mouiller à la crème. Laisser cuire pendant 20 min et passer au chinois.

Dans un robot, mettre la chair de brochet, puis le sel, le poivre et la muscade.

Ajouter les jaunes d'œufs (bien mélanger), le beurre, la Maïzena et la crème jusqu'à l'obtention d'une pâte molle.

À l'aide d'une cuillère à soupe, faire des quenelles puis les pocher (pendant environ 15 min) dans de l'eau salée à frémissement.

Mettre ensuite ces quenelles dans un plat à gratin. Les recouvrir de la sauce « homard » et faire gonfler au four à 160 °C pendant 10 min.

Servir immédiatement dans le plat à gratin.

Important : ne pas faire des sauces à base de crème dans des casseroles en aluminium afin d'éviter que la sauce devienne grisâtre.

carpe à l'étuvée

Pour 4 personnes

1 carpe de 1,2 kg vidée, écaillée et ébarbée, 10 cl de vin blanc,
1 jus de citron, 5 cl d'huile d'olive

Pour la garniture
20 graines de coriandre, 1 branche d'estragon, 1 tomate coupée en quatre,
1 échalote émincée, 1 blanc de poireau émincé

Dans un plat à rôtir, mettre la garniture, la carpe et arroser de vin blanc, d'huile d'olive et de jus de citron.

Laisser cuire au four à 160 °C pendant environ 20 min.

Une fois cuite, retirer la carpe et mixer le jus.

La remettre dans le plat, bien arroser de jus et servir.

Suggestion : servir avec pommes vapeur et légumes du moment.

filets de sole aux morilles

Pour 4 personnes

2 soles de 800 g levées en filets, 80 g de beurre

Pour la sauce aux morilles
320 g de morilles fraîches bien lavées (ou 160 g de morilles séchées trempées dans de l'eau tiède), 2 échalotes ciselées, 5 cl de porto, 2 cuillerées à soupe de fond de veau, 30 cl de crème, 60 g de beurre, sel, poivre

Dans une poêle, faire suer l'échalote avec le beurre, ajouter les morilles, saler et poivrer et laisser mijoter 2-3 min.

Déglacer au porto, ajouter le fond de veau et incorporer la crème.

Laisser cuire jusqu'à épaississement de la sauce.

Cuire les filets de sole dans une autre poêle avec le beurre et au moment de servir, ajouter la sauce aux morilles.

Suggestion : on peut braiser les filets de sole dans un plat avec un peu de vin blanc et une cuillerée à soupe d'échalote ciselée.

loup rôti à l'anis étoilé

Pour 4 personnes

▌• *1 loup de 1,5 kg, 20 cl d'huile d'olive, 10 g d'anis étoilé, sel et poivre du moulin*

Ecailler et vider le loup par les ouïes (il ne faut pas lui ouvrir le ventre), le laver, le sécher sur une serviette.

Introduire l'anis étoilé, le sel, le poivre par les ouïes. Prendre un plat à poisson ovale en fonte émaillée, verser 10 cl d'huile d'olive, poser le loup.

Cuire au four 20 min à 200 °C, arroser de temps en temps le loup.

Chauffer 10 cl d'huile d'olive dans une sauteuse à 80 °C, saler et poivrer, verser dans une saucière.

Servir le loup dans son plat avec l'huile tiède en saucière.

lotte au fenouil et crème de safran

Pour 4 personnes

800 g de filet de lotte, 2 bulbes de fenouil frais, 3 g de safran, 50 cl de crème fleurette, 140 g de beurre, 50 g de cerneaux de noix, 50 g de pignons de pin, 50 g de raisins de Corinthe, sel et poivre du moulin, 1/2 botte de cresson, 15 cl de vin d'Alsace Riesling

Parer le filet de lotte (le couper en vingt escalopes).

Faire les feuilles de fenouil, les laver. Les émincer.

Faire les feuilles de cresson. Concasser les noix.

Dans une petite sauteuse, mettre une bonne cuillerée de beurre, faire suer le fenouil 10 min. Ajouter les noix, pignons de pin, raisins de Corinthe, les feuilles de cresson. Remuer et laisser sur feu doux sans bouillir. Saler et poivrer.

Dans un sautoir, mettre deux cuillerées de beurre, le faire fondre sans colorer, pocher dans le beurre les escalopes de lotte 1 min de chaque côté. Saler et poivrer. Retirer sur une assiette (laisser au chaud).

Déglacer le sautoir avec le Riesling. Réduire de moitié. Ajouter la crème, laisser épaissir, avec le pistil de safran.

Monter avec le restant du beurre.

Rectifier l'assaisonnement.

Prendre quatre assiettes plates. Dans le milieu, mettre le fenouil. Autour, les escalopes de lotte. Napper les escalopes de lotte de crème au safran.

Servir.

Galantine de saumon
au beurre de ciboulette

Pour 4 personnes

600 g de filet de saumon, 200 g de filet de lotte, 2 carottes, 200 g de champignons de Paris, 20 g de truffes, 500 g d'épinards, 1 jus de citron, 1 œuf, 1 botte de ciboulette, 50 cl de crème fleurette, 20 cl de fumet de poisson, 3 feuilles de menthe, 200 g de tomates bien rouges

Enlever les queues aux feuilles d'épinard, les laver en prenant soin de ne pas les déchirer, les blanchir à l'eau très salée, refroidir et égoutter dans une serviette.

Eplucher les carottes, les couper en dés de 5 mm, les cuire 10 min à l'eau salée dans une petite russe.

Ciseler la ciboulette, ciseler la menthe.

Emonder et épépiner les tomates, les couper en losanges de 1 cm, les sécher 1 h avec du sel sur une serviette.

Trier et laver les champignons, les hacher très fin.

Hacher les truffes grossièrement.

Prendre une sauteuse, fondre 20 g de beurre, ajouter les champignons, le jus de citron, les cuire jusqu'à évaporation complète de l'eau, refroidir sur glace ; avec une spatule en bois, ajouter un œuf, incorporer la crème en faisant couler en filet, les truffes, les carottes, saler et poivrer. Bien mélanger.

Découper le saumon en minces tranches, comme si l'on coupait du saumon fumé, de même pour la lotte.

Prendre quatre feuilles de papier film de 40 cm de côté, étaler la tranche de saumon, afin que cela remplisse un carré de 12 cm au milieu du papier film.

Saler et poivrer, étaler une feuille d'épinard ou plusieurs de la même grandeur, une fine couche de farce à champignons, les tranches de lotte de 10 cm, saler et poivrer, une feuille d'épinard, une fine couche de farce à champignons.

Rouler le tout sur lui-même, serrer avec le papier film, tortillonner les deux bouts attachés par une ficelle.

Prendre une russe, pocher à feu doux 20 min dans le fumet de poisson.

Prélever la moitié du fumet de poisson, réduire jusqu'à 10 cl, ajouter la crème, réduire jusqu'à épaississement, mettre les tomates, cuire 1 min, monter au beurre.

Saler et poivrer, vérifier l'assaisonnement, ajouter la menthe et la ciboulette.

Prendre quatre cocottes ovales en porcelaine de 15 cm de long, défaire les galantines de leur papier et ficelle.

Saucer le fond des cocottes, poser les galantines, verser le restant de sauce dessus. Laisser prendre goût 10 min à feu à 80 °C.

Servir.

écrevisses au lait

Pour 4 personnes

*2 kg d'écrevisses (châtrées), 1 l de lait, 1 bouquet garni, sel, poivre,
2 cuillerées à soupe de persil plat*

Dans une casserole, cuire les écrevisses dans le lait (bouilli avec le bouquet garni) pendant 5 min.

Une fois cuites, les retirer, saler et poivrer. Faire réduire le lait de moitié.

Ajouter quelques pluches de persil dans le lait réduit.

Disposer les écrevisses en forme de buisson dans un plat creux.

Verser le lait.

Servir chaud.

filets de daurade au vin des coteaux du lyonnais

Pour 4 personnes

4 daurades de 300 g (grosses), 1 bouteille des coteaux du Lyonnais,
4 échalotes, 50 g de persil, 100 g de beurre, 10 cl de jus de veau,
1 pincée de coriandre, sel et poivre du moulin, 1 os à moelle de bœuf

Ecailler et désarêter les daurades.

Hacher les échalotes, le persil.

Extraire la moelle de l'os de bœuf. La couper en rondelles.

Faire réduire les échalotes avec le vin rouge jusqu'à ce qu'il en reste 20 cl.

Saler et poivrer les filets de daurade.

Dans un sautoir, mettre à chauffer 50 g de beurre. Saisir les filets de daurade 2 min de chaque côté. Les réserver dans un plat.

Déglacer le sautoir avec la réduction de coteaux du Lyonnais, ajouter le jus de veau. Réduire jusqu'à épaississement de la sauce. Passer à la passoire étamine. Rectifier l'assaisonnement. Monter avec le restant du beurre.

Faire pocher la moelle 5 min dans l'eau bouillante salée.

Prendre quatre assiettes. Dresser au milieu les filets de daurade. Napper avec la sauce.

Ranger la moelle dessus à l'aide d'une fourchette. Persil haché sur la moelle.

Grenouilles en persillade

Pour 4 personnes

1,2 kg de grenouilles, farine, 200 g de beurre, 1 jus de citron,
1 échalote ciselée, 3 gousses d'ail hachées, 1 bouquet de persil haché

Dans une poêle en fer, faire mousser le beurre et mettre les cuisses de grenouille farinées à la minute afin d'éviter qu'elles collent entre elles.

Cuire 3 min en les faisant sauter.

Ajouter l'échalote, l'ail, le jus de citron et le persil au moment de servir.

Important : toute herbe fraîche dans un plat se met au moment de servir pour garder tout son arôme.

galette de morue catherine

Pour 4 personnes

1 kg de morue salée, 2 œufs, 20 cl de crème, 50 g de câpres, 10 cl de mayonnaise, 100 g de pommes de terre Belle-de-Fontenay, 2 gousses d'ail, 100 g de beurre, 2 cuillerées à soupe d'huile d'olive, 3 cuillerées à soupe de farine type 55, 4 tranches de pain de mie, poivre du moulin

Parer la morue, la couper en quatre morceaux, la dessaler 24 h à l'eau courante. Éplucher et cuire les pommes de terre à l'eau non salée, les passer au tamis.

Dans une russe, mettre 5 l d'eau, cuire la morue pendant 8 min, l'égoutter sur un linge, enlever la peau noire et les arêtes, l'écraser avec un pilon dans un saladier.

Hacher l'ail, mélanger la morue, la purée, la crème, une cuillerée de farine, un œuf, poivre du moulin.

Laisser refroidir au réfrigérateur 2 h. Former huit galettes rondes.

Passer le pain de mie au cutter. Dans une assiette, mettre deux cuillerées de farine.

Dans une autre assiette, casser un œuf, le battre avec une fourchette.

Dans une troisième assiette, mettre la mie de pain.

Passer les galettes à la farine, les enrober avec l'œuf, les passer à la mie de pain.

Dans une poêle antiadhésive, fondre le beurre.

Colorer les galettes 4 min de chaque côté.

Dresser sur un plat avec serviette.

Servir avec la mayonnaise à laquelle on aura mélangé des câpres légèrement concassées.

Homard en escabèche

Pour 4 personnes

 2 kg de homard, 20 cl de porto, 1 carotte, 1 poireau, 2 échalotes,
150 g de beurre, 1 branche d'estragon, 20 cl de fumet de poisson, sel et
poivre du moulin

Laver le homard, le fendre en deux dans le sens de la longueur, enlever la poche de pierre se trouvant sous les yeux, ôter le boyau dans la queue, saler et poivrer.

Prendre un sautoir, fondre 75 g de beurre à feu vif, saisir les homards du côté chair, 3 min, déglacer avec le porto, mouiller avec le fumet de poisson, cuire 12 min.

Retirer du feu, décortiquer le homard et l'escaloper. Réduire la sauce avec la crème, de moitié.

Éplucher carotte, poireau, les couper en julienne. Éplucher les échalotes et les hacher.

Prendre un sautoir, fondre 60 g de beurre à feu doux, mettre les échalotes, la carotte et le poireau, cuire à l'étouffée 15 min.

Mélanger le homard, la julienne de légumes, la sauce, monter au beurre, vérifier l'assaisonnement.

Servir dans deux assiettes creuses.

Morue à la sauce blanche

Pour 4 personnes

4 tranches de morue (dessalées depuis 24 h)
(la morue se dessale dans une eau froide, renouvelée toutes les 12 h)

Pour pocher les tranches de morue
1 carotte, 1 oignon, 1 branche de céleri, 1 l de lait, 1 bouquet garni

Pour la sauce blanche
80 g de beurre, 80 g de farine pour faire le roux,
3 cuillerées à soupe de crème épaisse

Pochage de la morue

Mettre 1 l de lait dans une casserole avec les ingrédients.

Placer les tranches de morue dedans et cuire 4 min à frémissement.

La sauce blanche

Faire fondre le beurre dans une casserole, rajouter la farine. Bien remuer.

Incorporer la crème fraîche, le lait qui a servi pour pocher la morue.

Mixer la sauce pour qu'elle soit bien homogène et verser sur les tranches de morue pochées.

Servir chaud.

Important : ne pas saler.

Rougets au pistou et à la crème d'ail

Pour 4 personnes

4 rougets de 180 g, 8 gousses d'ail, 4 cuillerées d'huile d'olive, 2 feuilles de basilic, 30 cl de coulis de tomate, 50 g de beurre, 100 g de tomate, sel et poivre du moulin

Ciseler le basilic.

Ecailler les rougets. Lever les filets.

Emonder, épépiner, couper en dés les tomates.

Cuire l'ail en chemise dans un petit plat à œufs 15 min au four à 190 °C.

Prendre une poêle antiadhésive, verser l'huile. Cuire les rougets à feu moyen 3 min de chaque côté, le côté peau en premier en contact avec la poêle. Saler et poivrer les rougets. Les retirer.

Verser la tomate en dés, le coulis de tomate, le basilic, cuire 6 min.

Rectifier l'assaisonnement.

Ajouter l'ail en chemise. Ecraser avec une fourchette. Retirer les peaux et germes.

Mélanger avec la sauce. Monter au beurre. Prendre quatre assiettes plates.

Napper le fond des assiettes avec la sauce.

Poser les rougets.

Pavé de sandre à la lie de vin

Pour 4 personnes

4 filets de sandre de 140 g sans la peau, 8 tranches de coppa très fines (séchées au four afin d'obtenir des chips)

Pour la sauce lie de vin
200 g d'échalotes ciselées, 10 cl de fond de veau, 50 cl de vin rouge,

100 g de lie de vin (dans une épicerie fine), 60 g de beurre,
10 cl de porto, 1 bouquet garni (voir page 147), 1 cuillerée à soupe d'huile,
1 noix de beurre

Cuire les sandres dans une poêle avec l'huile et le beurre, 2-3 min de chaque côté.

Dans une casserole, mettre les échalotes avec le vin et le bouquet garni.

Faire réduire à sec, ajouter le porto, la lie de vin, et refaire réduire.

Ajouter le fond de veau, réduire d'un quart et monter au beurre.

Mettre la sauce au fond des assiettes, ajouter les sandres cuites meunière et les chips de coppa dessus.

L'agneau

Ris d'agneau en beignets de citron

Pour 4 personnes

800 g de ris d'agneau bien dégorgés 2 h avec de la glace

Pour la sauce citron
2 citrons jaunes et 1 citron vert (uniquement le jus), 5 cl de crème,
60 g de beurre, sel, poivre

Pour la pâte à beignet
125 g de farine, 124 g de Maïzena, 1 cuillerée à soupe d'huile d'arachide,
4 jaunes d'œufs (réserver les 4 blancs d'œufs), 10 cl d'eau, sel, le zeste de
2 citrons jaunes (qui ont servi pour le jus) et 1 citron vert

La sauce citron

Faire réduire les jus de citron, ajouter la crème et monter au beurre.
Saler et poivrer.

Mélanger tous les ingrédients de la pâte à beignet.

Monter les quatre blancs d'œufs fermes.

Les incorporer dans la préparation de la pâte à beignet.

Préparation des ris d'agneau

Blanchir les ris d'agneau (partir de l'eau froide jusqu'à l'ébullition et
cuire 2 min). Eplucher la peau.

Cuire les ris d'agneau 10 min dans un court-bouillon (démarrage à
chaud), puis les égoutter.

Les fariner et les tremper dans la pâte à beignet. Les frire puis saler.

Servir chaud.

*Important : toute friture doit s'assaisonner à chaud car le sel se dissout
à chaud et non à froid.*

épaule de « 7 heures »
ou à la cuillère

Pour 4 personnes

1 épaule d'agneau, 2 tomates coupées en quatre,
1 bouquet garni (voir page 147), 5 cl d'huile d'olive, 1,5 l de vin blanc

Pour la garniture
1 carotte, 2 échalotes, 1 oignon, 1 branche de céleri et 1 blanc de poireau
(épluchés et taillés en mirepoix)

Dans un plat à rôtir, colorer l'épaule avec l'huile d'olive et mettre les éléments de la garniture.

Faire colorer le tout.

Ajouter les tomates, le bouquet garni et le vin blanc à hauteur

Laisser cuire pendant 2 h à 140 °C en arrosant régulièrement.

Sortir du four. Servir immédiatement.

Cuire à la cuillère : l'épaule doit se découper à la cuillère.

navarin
aux petits légumes printaniers

Pour 4 personnes

8 tranches de collier d'agneau, 1 carotte, 1 oignon et
1 céleri taillés en dés (en mirepoix), 2 gousses d'ail,
1 bouquet garni (voir page 147), 3 tomates fraîches,
10 cl de vin blanc, 5 cl d'huile d'arachide

Petits légumes printaniers
2 courgettes, 2 carottes, 1 boule de céleri, 2 navets taillés en tronçons de 5 cm et
coupés en quatre puis façonnés en forme d'olives, 150 g de haricots verts équeutés,
100 g de petits pois

Cuire tous les légumes à l'anglaise séparément (dans l'eau salée).

Dans une cocotte, mettre un peu d'huile et faire colorer les colliers d'agneau. Ajouter la mirepoix (carotte, oignon et céleri), les gousses d'ail, le bouquet garni et déglacer au vin blanc.

Ajouter les tomates et mouiller à hauteur puis laisser cuire au four pendant 40 min à 160 °C.

Une fois cuits, retirer les morceaux de colliers d'agneau, réserver à part les légumes.

Passer la sauce au chinois (la faire réduire si besoin).

Réchauffer les légumes avec du beurre et les ajouter aux colliers d'agneau. Disposer le tout dans un plat et servir chaud.

gigot aux haricots blancs

Pour 4 personnes

1 gigot d'agneau clouté à l'ail, 2 oignons, 400 g de haricots blancs (trempés dans de l'eau depuis la veille), 1 oignon clouté, 1 bouquet garni (voir page 147), 3 têtes d'ail entières cuites dans un papier aluminium au bain-marie, huile d'olive, 4 tranches de pain dorées, sel, poivre

Rôtir le gigot d'agneau au four à 160 °C/170 °C pendant 40 min, avec les oignons coupés en deux. Saler et poivrer.

Dans une casserole d'eau froide, cuire les haricots blancs avec la garniture aromatique (oignon clouté, bouquet garni) pendant 50 min.

Saler les haricots en fin de cuisson.

Passer au tamis les têtes d'ail pour récupérer la chair. La mettre dans un bol et monter à l'huile d'olive, et en tartiner les tranches de pain grillées.

Saler les haricots en fin de cuisson.

Dresser dans un plat le gigot d'agneau, entourer des tranches de pain et accompagner des haricots. Servir chaud.

Important : toute pièce de viande doit être rôtie dans un plat à proportion de la pièce à rôtir afin d'éviter que le jus ne brûle.

selle d'agneau
en mille-feuille de légumes

Pour 4 personnes

1 selle d'agneau levée en filets (par votre boucher), 6 tranches de jambon cru très fines, 1 aubergine taillée en tranches (sens de la longueur), 1 courgette taillée en tranches, 1/2 poivron jaune épluché (à l'économe et épépiné), 1/2 poivron rouge épluché (à l'économe et épépiné), 10 cl d'huile d'olive, 3 gousses d'ail, fleur de thym, sel, poivre

Mettre les légumes séparément dans un plat allant au four avec l'huile d'olive, l'ail et la fleur de thym.

Faire confire pendant 20 min à 140 °C.

Saisir les filets d'agneau et les couper en deux dans le sens de la longueur.

Montage

Sur votre plan de travail, disposer deux tranches d'aubergine. Placer une tranche de filet d'agneau dessus. Ajouter le poivron jaune et recouvrir d'un autre filet d'agneau (en superposition).

Mettre ensuite le poivron rouge, recouvrir de la courgette et envelopper le tout du jambon cru.

Ficeler comme un rôti puis cuire dans une poêle à l'huile d'olive pendant 10 min en tout.

Mettre dans un plat à service, et découper en tranches pour servir.

Suggestion : sauce à base d'huile : récupérer l'huile, hacher des olives noires, des fèves en saison, des tomates. Cela fera une bonne sauce pour accompagner ce plat.

Langue d'agneau en salade

Pour 4 personnes

8 langues d'agneau bien dégorgées dans de l'eau glacée (pour enlever le sang)

Pour la saumure
50 cl d'eau, 400 g de gros sel, 150 g de sucre,
1 court-bouillon (voir page 142), thym et laurier, poivre

La saumure

Faire bouillir l'eau et jeter tous les ingrédients dans une grande casserole jusqu'à nouvelle ébullition.

Laisser refroidir et ajouter les langues d'agneau et laisser reposer pendant 6 h.

Préparation des langues

Préparer un court-bouillon classique et mettre les langues à cuire pendant 40 min (à partir de l'eau frémissante).

Une fois cuites, éplucher les langues et les laisser refroidir.

Servir les langues sur une salade verte assaisonnée.

Suggestion : vous pouvez les paner et les servir meunière.

Important : pour savoir si une langue est cuite, appuyer sur le bout de la langue qui doit être tendre.
Toute viande cuite en court-bouillon doit être dégorgée afin d'avoir un bouillon plus clair.

couronne d'agneau cloutée à l'anchois

Pour 4 personnes

2 carrés d'agneau de huit côtes (bien manchonnés par votre boucher) (garder les parures pour le jus), 16 filets d'anchois, 2 échalotes épluchées, 2 gousses d'ail épluchées, 1 branche de sarriette, 1 tomate fraîche coupée en quatre quartiers, huile de noisette

Faire le jus

Couper les parures des carrés d'agneau en petits morceaux.

Dans une cocotte, les rôtir au four à 180 °C, ajouter les échalotes entières, les gousses d'ail entières et la branche de sarriette.

Bien dégraisser, ajouter la tomate et recouvrir d'eau à hauteur.

Laisser cuire jusqu'à réduction afin d'obtenir un jus puis monter avec un peu d'huile de noisette.

Avec un couteau, inciser entre chaque côte les carrés d'agneau.

Clouter la chair avec des anchois.

Saisir les carrés dans une poêle puis les refermer pour former une couronne. Laisser cuire au four pendant 15 min à 180 °C.

Sortir du four et laisser reposer environ 15 min.

Dresser sur un plat et arroser avec le jus chaud.

Important : toute viande rôtie ou grillée doit reposer autant de temps que le temps de cuisson pour que le sang se rediffuse.

Le bœuf

effilochée de joue de bœuf, mousseline de carottes

Pour 4 personnes

2 joues de bœuf (à commander à son boucher), 3 oignons, 150 g de poitrine fumée, 1 branche de céleri, 3 tomates (coupées en deux ou quatre quartiers), 2 l de vin rouge

Pour la mousseline de carottes
1 kg de carottes, 10 cl de crème, 80 g de beurre, cumin en poudre, sel et poivre

Mousseline de carottes

Eplucher et découper les carottes en rondelles.

Cuire les carottes à la vapeur (environ 15 min) puis les passer au presse-purée ou mixeur pour obtenir un mélange homogène.

Ajouter la crème, le beurre, du cumin, le sel et le poivre.

Garder au chaud.

Préparation des joues

Dans une cocotte en fonte, faire braiser les joues avec tous les ingrédients pendant 2 h-2 h 30, à feu doux.

Une fois les joues braisées, les sortir de la cocotte et les réserver au chaud.

Passer le jus au chinois.

Disposer les joues de bœuf dans un plat creux.

Les arroser du jus.

Servir avec la mousseline de carottes autour.

Araignée sauce beaujolaise

Pour 4 personnes

4 araignées (commandées à l'avance à votre boucher), beurre, huile

Pour la sauce beaujolaise
2 échalotes ciselées, 3 champignons de Paris, 1 gousse d'ail, 20 cl de vin rouge, farine, 1 cuillerée à soupe de crème fraîche épaisse, sel et poivre

Dans une poêle, faire suer les échalotes avec les champignons et la gousse d'ail.

Saupoudrer de farine, ajouter le vin rouge et faire réduire de moitié.

Passer la sauce au chinois et la détendre (ou désépaissir) avec la crème fraîche épaisse, saler et poivrer.

Poêler les araignées à la cuisson désirée dans un peu d'huile et de beurre (l'huile en premier, pour éviter que le beurre brûle).

Les laisser reposer sur une grille 2-3 min.

Les disposer dans les assiettes et verser la sauce beaujolaise dessus ou dessous.

Important : toute viande cuite doit avoir un temps de repos (à l'entrée du four) afin que le sang se rediffuse dans la viande (cela évite le sang dans les assiettes).

pot-au-feu aux cinq viandes

Pour 4 personnes

1 poulet prêt à cuire, 4 petits tournedos, 4 mignons de veau, 1 kg de plat de côtes, 4 grenadins de foie gras, 4 carottes, 4 poireaux, 4 tranches de céleri boule, 2 oignons cloutés, 1 bouquet garni (voir page 147), gros sel, poivre

Dans un faitout, mettre le plat de côtes, porter à ébullition pour enlever les impuretés, assaisonner légèrement.

Laisser cuire 30 min puis ajouter le poulet et laisser encore cuire 40 min.

Ajouter tous les légumes et laisser cuire 15 min en plus.

Ajouter les mignons de veau et laisser cuire pendant 2 min.

Ajouter les tournedos et laisser cuire 2 min, puis ajouter enfin les grenadins de foie gras et continuer pendant 2 min.

Rectifier l'assaisonnement.

Servir chaud dans une grande soupière.

Facultatif : vous pouvez ajouter quelques truffes fraîches râpées.

onglet à l'échalote

Pour 4 personnes

4 onglets, 300 g d'échalotes ciselées, 100 g de beurre, 1 pointe de vinaigre, quelques pluches de persil, sel, poivre

Poêler les onglets, saler et poivrer puis ajouter les échalotes ciselées avec le beurre.

Laisser cuire à la cuisson désirée.

Déglacer le jus au vinaigre.

Au moment de servir, ajouter les pluches de persil.

Langue de bœuf à la viennoise

Pour 4 personnes

1 langue de bœuf, 1 jus de citron, 100 g de beurre

Pour l'appareil à viennoise
150 g de farine, 4 jaunes d'œufs, 250 g de chapelure bien blanche

Bien dégorger la langue dans de l'eau avec de la glace pour « sortir » le sang. La cuire dans un court-bouillon classique pendant 2 h.

Une fois cuite, enlever la peau blanche de la langue de bœuf.

Tailler des tronçons de 2 cm d'épaisseur, les passer dans la farine puis dans les jaunes d'œufs battus. Finir en les roulant dans la chapelure.

Dans une poêle, cuire les tronçons dans le beurre 2-3 min de chaque côté.

Terminer en arrosant d'un jus de citron.

Tournedos rôti à la moelle

Pour 4 personnes

4 tournedos de 160 g, 8 tronçons de moelle extraite par votre boucher,
1/2 bouquet de ciboulette, 1 bouquet garni (voir page 147), gros sel gris,
poivre mignonnette

Faire dégorger la moelle dans de l'eau salée puis lui enlever le sang.

Dans une casserole, pocher la moelle avec le bouquet garni pendant 10 min.

Rôtir les tournedos à cuisson désirée.

Tailler la moelle en tranches épaisses et en faire des rosaces sur les tournedos.

Ajouter la ciboulette mélangée au gros sel et la mignonnette.

Suggestion : vous pouvez ajouter une sauce à base de vin rouge (sauce beaujolaise), voir recette « Araignée sauce beaujolaise ». Vous pouvez aussi pocher les tournedos dans un bouillon de pot-au-feu.

Le gibier

civet de marcassin

Pour 4 personnes

1,2 kg de marcassin découpé en gros cubes (cuissot ou épaule), 3 pieds de porc coupés en deux et blanchis, 4 l de vin rouge, 4 oignons coupés en quatre, 1 bouquet garni (voir page 147), 5 cl d'huile d'arachide ou pépins de raisin, 20 pruneaux, 20 oignons grelots cuits à blancs, 5 tranches de poitrine fumée taillées en gros dés et blanchies

Cuire à blanc les oignons : les recouvrir d'eau avec une noisette de beurre et une pincée de sucre et cuire pendant 4-5 min.

Dans une cocotte en fonte, saisir les morceaux de marcassin.

Ajouter les oignons, les pieds de porc, le bouquet garni et mouiller au vin rouge. Laisser cuire à frémissement pendant 2 h 30.

Une fois cuits, retirer les morceaux de viande, faire réduire la sauce des trois quarts en laissant mijoter et ajouter les pruneaux.

Poêler les dés de poitrine fumée, ajouter les oignons grelots.

Découper en dés les morceaux de porc (désossés).

Les mettre dans la cocotte avec les morceaux de marcassin.

Servir chaud dans un plat de service avec la garniture et mettre la sauce autour.

lapin de garenne aux cèpes

Pour 4 personnes

1 lapin de garenne (dépouillé et vidé), 50 cl de vin blanc, 1 kg de cèpes (lavés et coupés en tranches épaisses), 2 échalotes ciselées, 2 gousses d'ail hachées, 5 g d'estragon, 100 g de beurre, 5 cl de pot-au-feu, sel, poivre du moulin 1/2 bouquet de ciboulette ciselée

Pour la garniture aromatique
1 branche de céleri, 1 carotte, 1 oignon, 1 poireau, 1 gousse d'ail

Couper le lapin en six et le faire saisir dans une cocotte avec le beurre. Saler et poivrer.

Ajouter la petite garniture aromatique et mouiller avec le vin blanc, puis laisser cuire pendant 40 min à feu doux.

Dans une poêle, faire sauter les cèpes, ajouter l'échalote, l'ail, 5 cl de bouillon de pot-au-feu.

Laisser réduire et ajouter l'estragon et la ciboulette.

Mettre les cèpes dans un plat. Disposer les morceaux de lapin dessus, et arroser de sauce.

Lièvre à la royale

Pour 4 personnes

1 lièvre désossé

Pour la cuisson du lièvre
1 pied de veau coupé en morceaux, 5 échalotes coupées en mirepoix,
2 l de vin rouge, 15 graines de poivre, 1 bouquet garni (voir page 147),
1 carré de chocolat, 5 cl d'huile d'arachide, 3 cuillerées à soupe
de crème fraîche

Pour la farce
200 g de longe de porc, 200 g de noix de veau, 400 g de foie gras,
200 g de lard gras, 100 g de pistaches, 4 échalotes émincées et suées au beurre
100 g de truffes hachées, sel, poivre

Tailler en dés le porc, le veau, le foie gras et le lard gras.

Préparer la farce en mélangeant dans un grand bol tous les ingrédients.

Farcir le lièvre avec la préparation de la farce.

Le rôtir avec l'huile dans une cocotte jusqu'à coloration.

Ajouter les échalotes, le pied de veau (vous pouvez ajouter deux tomates fraîches), arroser de vin rouge et laisser cuire avec le poivre et le bouquet garni environ 1 h 30 à feu doux.

Retirer le lièvre en fin de cuisson et faire réduire la sauce.

Ajouter deux cuillerées à soupe de crème fraîche et un carré de chocolat dans la sauce.

Mettre le lièvre dans un plat creux, le couper en tranches épaisses, et arroser avec la sauce.

colvert rôti aux raisins

Pour 4 personnes

2 colverts (nettoyés, vidés et bridés), 1/2 échalote ciselée, 1 carotte, 1 oignon, 1 branche de céleri branche, 5 cl de noilly, 10 cl de jus de veau, 5 ou 6 baies de genièvre, 4 cuillerées à soupe d'huile d'arachide, 150 g de foies de volaille, 1 dose de cognac, 1 cuillerée à café de moutarde, 1 noix de beurre, sel, poivre

Cuire les deux colverts avec l'huile dans une cocotte en fonte 10 min sur chaque cuisse et 15 min sur le dos.

Une fois sur le dos, ajouter la garniture (carotte, oignon, céleri, taillés en gros dés).

Une fois cuits, les retirer de la cocotte.

Déglacer le jus au noilly et ajouter les baies de genièvre et le jus de veau. Faire réduire de moitié.

Passer ce jus au chinois, puis, dans une poêle, rôtir les foies de volaille (nettoyés) avec une noix de beurre, ajouter l'échalote ciselée et déglacer au cognac.

Passer au robot les foies de volaille et avec la moutarde, lier le jus avec la purée de foies de volaille.

Passer au chinois étamine, saler et poivrer.

Incorporer cette purée de foies de volaille dans le jus réduit du colvert.

Mettre les deux colverts rôtis dans un plat de service.

Arroser de la sauce. Servir chaud.

salmis de poule faisane aux petits oignons

Pour 4 personnes

1 poule faisane vidée et coupée en quatre, 4 échalotes épluchées et émincées, 100 g de poitrine fumée coupée en dés, 150 g de champignons de Paris « boutons », 2 l de vin rouge, 1 fond de veau, 1 bouquet garni (voir page 147), 1 mignonnette de poivre, 2 tomates coupées en quatre, 100 g de beurre, 300 g d'oignons grelots épluchés cuits à blanc (eau, beurre et sucre), sel, poivre

Dans une sauteuse, faire colorer dans du beurre les morceaux de faisan assaisonnés.

Ajouter la garniture aromatique (champignons, poitrine, échalotes).

Déglacer au vin rouge et ajouter les tomates, la mignonnette et le bouquet garni. Laisser cuire 15 min les suprêmes ou filets et les cuisses pendant 40 min à feu doux.

Une fois cuits, les enlever et les réserver au chaud. Enlever également la garniture.

Laisser la sauce réduire des trois quarts et ajouter soit du fond de veau, soit de la sauce beaujolaise (voir recette « Araignée sauce beaujolaise »).

Une fois réduite, passer la sauce au chinois étamine.

Dans une casserole, cuire les oignons grelots à blanc (les oignons doivent devenir châtains).

Dans la cocotte, incorporer les oignons dans la sauce obtenue, ajouter les lardons et les champignons.

Rajouter la poule faisane. Servir chaud dans la cocotte.

cuissot de chevreuil
en forestière

Pour 4 personnes

*1 cuissot de chevreuil, 600 g de choux de Bruxelles (cuits à l'anglaise),
150 de lard gras taillé en lanières pour piquer le cuissot, 2 échalotes ciselées,
2 tranches de poitrine fumée taillées en dés, 5 cl d'huile d'arachide,
80 g de beurre, sel, poivre*

Garniture pour la sauce
2 échalotes, 1 carotte, 1 branche de céleri, 3 gousses d'ail, 20 cl de vin blanc

Saisir le cuissot de chevreuil dans une cocotte avec l'huile et 40 g de beurre.

Ajouter la garniture. Déglacer au vin blanc et laisser cuire 30 min à feu moyen.

Une fois cuit, retirer le cuissot.

Passer la sauce au chinois et incorporer dans une casserole avec 40 g de beurre. Cuire pendant 3-4 min.

Poêler les choux de Bruxelles avec les échalotes, la poitrine fumée et rectifier l'assaisonnement.

Disposer le cuissot sur un plat. Mettre les légumes autour et arroser le cuissot avec la sauce.

Servir chaud.

perdreau à la lyonnaise

Pour 4 personnes

2 perdreaux gris (vidés et bridés), 20 gousses d'ail, 5 cl de vin blanc,
1 chou frisé, 2 échalotes, 1 carotte, 1 échalote et 1 branche de céleri
taillées en mirepoix, 150 g de beurre, 5 cl d'huile d'arachide,
12 tranches de coppa, sel, poivre

Garder huit feuilles de chou (pas trop vertes). Pour le reste du chou, enlever la côte et bien l'émincer.

Blanchir les feuilles et le chou émincé séparément.

Faire suer le chou émincé avec la mirepoix et le beurre.

Laisser cuire le plus longtemps possible (environ 40 min à feu doux).

Une fois cuits, prendre des moules à tartelettes et disposer les feuilles dessus, ajouter le chou émincé cuit et refermer pour faire des palets.

Dans une poêle, colorer les palets et les tranches de coppa.

Rôtir les perdreaux avec les gousses d'ail dans une cocotte allant au four. Saler et poivrer.

Une fois les perdreaux cuits, les désosser.

Mettre les carcasses dans la cocotte et déglacer au vin blanc pour faire le jus. Retirer les carcasses.

Mettre les perdreaux désossés dans un plat avec le jus et servir les palets autour.

Le porc

ʙoudin αvec pommes céleri

Pour 4 personnes

4 boudins de 150 g pièce, 500 g de pommes épluchées et vidées,
1 boule de céleri épluchée et coupée en quatre, 1 l de lait, 80 g de beurre,
5 cl de crème, 5 cl d'huile d'arachide, sel, poivre

Cuire les quartiers de céleri dans le lait pendant 30 min.
En fin de cuisson, rajouter les pommes coupées en grosses tranches.
Passer le tout au presse-purée.
Dans un saladier, monter au beurre et détendre avec la crème.
Cuire le boudin à l'huile d'arachide au four. Saler, poivrer et servir avec
la purée dans un plat séparé.

chou farci sauce mousseline

Pour 4 personnes

1 chou frisé (enlever les premières feuilles bien vertes)

Pour la compotée d'oignon (150 g)
3 oignons, 4 cuillerées à soupe d'huile d'olive, 1 branche de romarin,
thym frais, sel, poivre

Pour la farce
600 g de chair à saucisse, 150 g d'oignons en marmelade (compotée),
200 g d'épinards équeutés et sués au beurre dans une poêle, sel, poivre,
noix de muscade

Pour la sauce mousseline
6 jaunes d'œufs, 6 cuillerées à soupe d'eau, 250 g de beurre pommade
(température ambiante), 3 cuillerées à soupe de crème montée, 1 jus de
citron, sel, poivre

Faire la compotée d'oignons

Cuire les oignons dans une cocotte au four (160 °C) pendant 40 min avec l'huile d'olive, la branche de romarin ou du thym frais. Saler et poivrer.

Faire la sauce mousseline

Faire un bain-marie avec un cul-de-poule et mettre dans le cul-de-poule les jaunes d'œufs et l'eau, fouetter afin que le mélange double de volume (la cuisson arrivera à son terme lorsque le fouet formera un 8 dans le cul-de-poule) pendant 10 à 15 min.

Incorporer le beurre, la crème et le jus de citron.

Saler et poivrer.

Faire la farce

Incorporer à la chair à saucisse la compotée d'oignons et les épinards. Assaisonner.

Blanchir le chou pendant 15 min dans de l'eau bouillante. Egoutter.

Une fois blanchi, le mettre sur un linge, bien l'effeuiller jusqu'au cœur.

Entre chaque feuille, mettre de la farce et le reconstituer.

Le refermer à l'aide du linge et bien le ficeler.

Le cuire dans un court-bouillon pendant 1 h 30.

Servir chaud avec la sauce mousseline.

confit d'échine

Pour 4 personnes

2 kg d'échine de porc, 300 g de gros sel, 10 g de poivre du moulin,
4 g de piment, 50 g de graines de moutarde, 3 kg de saindoux

Masser l'échine de porc dans le mélange fait avec le sel, le poivre, le piment et les graines de moutarde. Bien imprégner. Laisser reposer pendant 6 h au frais.

Faire fondre le saindoux dans une cocotte et rajouter l'échine.

Cuire à 85 °C pendant 3 h au four.

Une fois cuite, la découper avec une cuillère.

Suggestion : vous pouvez la servir chaude ou froide avec une salade de haricots blancs.

godiveau
aux sarments de vigne

Pour 4 personnes

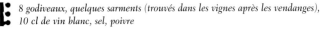

8 godiveaux, quelques sarments (trouvés dans les vignes après les vendanges), 10 cl de vin blanc, sel, poivre

Dans une cocotte en fonte, faire un lit de sarments et rajouter les godiveaux dessus.

Arroser de vin blanc et cuire au four (couvert) à 180° pendant 20 min.

Disposer dans un plat les sarments et les godiveaux dessus. Servir chaud.

Variante : on peut utiliser des branches de romarin ou de thym à la place des sarments de vigne.

pieds de porc farcis

Pour 4 personnes

4 pieds de porc (les griller pour enlever les poils et les désosser entièrement)

Pour la farce
200 g d'échine de porc, 80 g de lard gras, 80 g de foie de veau, 2 échalotes émincées et suées au beurre, 100 g d'épinards équeutés, lavés et sués au beurre, 1/2 bouquet de persil plat ciselé, 1 court-bouillon (voir page 142)

Couper en petits dés l'échine de porc, le lard gras et le foie de veau.

Dans un saladier, mélanger tous les ingrédients de la farce et en farcir les pieds de porc désossés.

Cuire les pieds de porc dans un court-bouillon à frémissement (feu doux) afin d'éviter que les pieds se rétractent, pendant 1 h 30.

Une fois cuits, les laisser refroidir, enlever la bande ou le papier aluminium. Préparer une sauce de votre choix (beaujolaise).

Déballer les pieds de porc. Mettre dans un plat allant au four et ajouter la sauce dessus.

Les passer au four pour les réchauffer ou servir froid avec une salade.

Important : vous pouvez bander les pieds de porc avec des bandes de cuisson ou les envelopper chacun dans un papier aluminium bien beurré.

Suggestion : ce plat peut être servi avec une sauce moutarde à la place de la sauce beaujolaise.

petits salés aux lentilles

Pour 4 personnes

- 2 petits salés (jambonneaux), 400 g de lentilles trempées dans l'eau tiède (pendant 1 h)

- *Pour la garniture*
  1 carotte, 1 oignon, 3 gousses d'ail, 1 bouquet garni (voir page 147)

Dégorger les petits salés dans l'eau froide (2 à 3 h).

Les mettre ensuite dans un faitout rempli d'eau chaude et cuire pendant 2 h.

Cuire les lentilles avec la garniture et ajouter en fin de cuisson les petits salés déjà cuits dans le faitout.

Vérifier l'assaisonnement au moment de servir chaud.

crépinettes au vin blanc

Pour 4 personnes

*800 g de chair à saucisse, 2 échalotes ciselées, 2 bouquets d'oseille,
5 cl de vin blanc, 150 g de foie gras, 500 g de crépine de veau (chez votre
boucher) à faire bien dégorger dans de l'eau froide, sel, poivre, 1 noix de beurre*

Faire fondre les échalotes ciselées dans une poêle avec une noix de beurre.

Faire suer les bouquets d'oseille.

Dans un grand bol, mélanger la chair à saucisse avec tous les ingrédients (foie gras, vin blanc, échalotes et oseille) pour faire la farce. Rectifier l'assaisonnement (sel, poivre).

Faire des galettes de farce, les envelopper de crépine et les cuire lentement dans une poêle antiadhésive pendant 6 min à feu moyen.

Suggestion : vous pouvez servir les crépinettes avec des huîtres.

Langue de porc confite

Pour 4 personnes

*8 langues de porc bien dégorgées dans de l'eau glacée pendant 12 h
(pour enlever le sang), 1 kg de saindoux*

Pour la saumure
50 cl d'eau, 400 g de gros sel, 150 g de sucre, thym, laurier, poivre

Faire bouillir l'eau dans un faitout et jeter tous les ingrédients de la saumure.

Laisser refroidir et ajouter les langues de porc.

Laisser dans cette saumure pendant 6 h.

Cuisson des langues

Sortir les langues de la saumure.

Les mettre dans une cocotte avec le saindoux et les cuire pendant 1 h 30 à 85 °C/90 °C. Une fois cuites, les éplucher et les remettre dans la cocotte.

Servir chaud : avec des lentilles ou des cocos frais.

Servir froid : émincées sur une salade verte.

Important : toute viande confite ou pochée ne doit jamais bouillir, sinon elle devient grise.

joue de porc braisée

Pour 4 personnes

12 joues de porc (chez votre charcutier), 1 carotte taillée en brunoise, 1 oignon taillé en brunoise, 1 branche de céleri taillée en brunoise (petits dés), 3 tomates, 10 cl de vin blanc, 5 cl d'huile d'arachide, 50 g de beurre, sel, poivre

Saler et poivrer les joues de porc 1 h avant la cuisson.

Dans une cocotte allant au four, saisir les joues avec l'huile.

Ajouter la brunoise de légumes et laisser colorer.

Déglacer ensuite au vin blanc, ajouter les tomates, recouvrir d'eau à hauteur et laisser mijoter au four à 150 °C pendant une petite heure.

Egoutter les joues, réduire le jus et monter avec 50 g de beurre.

Puis remettre les joues dans le jus ainsi obtenu.

Servir chaud dans la cocotte.

Facultatif : vous pouvez ajouter des herbes au moment de servir.

gras-double à la lyonnaise

Pour 4 personnes

2 jolis bonnets déjà précuits (chez le tripier) et coupés en lanières, 2 gros oignons émincés, 1/2 bouquet de persil plat en pluches (effeuillé), 5 cl de vinaigre de xérès, 5 cl d'huile d'arachide, sel, poivre

Dans une sauteuse, faire revenir les lanières avec de l'huile et ajouter les oignons émincés.

Laisser cuire 2-3 min, déglacer au vinaigre et ajouter le persil avant de servir (vérifier l'assaisonnement).

Mettre dans un plat creux et servir très chaud.

Le veau

Blanquette de veau à l'ancienne

Pour 4 personnes

1,2 kg de beaux morceaux de veau (dégorgés dans de l'eau bien froide pendant 2 h), 100 g de beurre, 100 g de farine, 200 g de crème double (épaisse), 2 jus de citron

Pour la garniture
1 carotte, 1 oignon clouté avec, 3 clous de girofle, 1 bouquet garni (voir page 147), 1 blanc de poireau, 3 gousses d'ail

Pour la garniture à l'ancienne
250 g de champignons de Paris, (boutons) lavés, 250 g d'oignons grelots cuits à blanc (eau avec un peu de sucre, beurre, sel) mouillés à hauteur

Dans une casserole avec couvercle, cuire les champignons avec un jus de citron et une noix de beurre.

Mettre dans une casserole les morceaux de veau avec la garniture.

Recouvrir d'eau, laisser cuire à feu doux pendant 1 h.

Ecumer (enlever la mousse qui se forme sur le bouillon).

Une fois cuits, retirer les morceaux de veau. Les réserver.

Dans une autre casserole, faire un roux avec du beurre et de la farine.

Incorporer la moitié du bouillon, puis ajouter la crème.

Finir par le jus de citron et remettre les morceaux de veau, les champignons et les oignons grelots.

Mélanger le tout et servir chaud avec des pâtes fraîches.

Important : si votre blanquette est trop épaisse, la détendre avec le jus des champignons et des oignons.

Double côte de veau de lait à la sauge

Pour 4 personnes

700 à 800 g de côte de veau première (manchonnée en gardant les parures),
3 échalotes épluchées et coupées en deux, 2 gousses d'ail,
1/2 branche de céleri taillée en dés, 5 cl de vin blanc, 1 tomate fraîche,
10 branches de sauge, 50 g de beurre, jus de 1/2 citron,
2 cuillerées à soupe d'huile d'arachide, sel, poivre

Dans une cocotte, faire colorer la côte salée et poivrée. Ajouter les parures et laisser cuire 20 min au four à 180 °C.

Retirer la côte, ajouter la garniture dans la cocotte (échalotes, ail, branche de céleri) et laisser colorer.

Dégraisser et déglacer au vin blanc.

Ajouter la tomate, mouiller à hauteur d'eau et laisser réduire des trois quarts.

Passer cette sauce obtenue au chinois, y ajouter la sauge et monter le tout au beurre.

Au dernier moment, ajouter le jus de citron pour faire ressortir le goût.
Remettre ensuite la côte de veau dans le jus.
Servir dans la cocotte.

Important : ajouter un tour de moulin à poivre et de la fleur de sel.

foie de veau à la lyonnaise

Pour 4 personnes

4 tranches de foie de veau, 150 g d'échalotes ciselées, 100 g de beurre,
10 cl de vinaigre, 1/2 bouquet de persil en pluches, 5 cl d'huile d'arachide,
farine, sel, poivre

Fariner les foies de veau.
Les mettre dans une poêle, et les cuire avec l'huile et un peu de beurre
pendant 2 min de chaque côté.

Aux trois quarts de cuisson, les enlever et les réserver au chaud.

Dans la poêle, ajouter les échalotes avec le reste du beurre.

Une fois les échalotes cuites, déglacer au vinaigre.

Ajouter le persil et remettre les foies de veau dans la poêle pour finir de les cuire (1 min).

Puis servir dans les assiettes et arroser du jus.

Facultatif : vous pouvez ajouter deux cuillerées de fond de veau dans le jus.

Ris de veau en vol-au-vent

Pour 4 personnes

 4 vol-au-vent déjà cuits (achetés chez votre boulanger), 300 g de noix de ris de veau, 250 g de champignons de Paris étuvés (des boutons si possible), 150 g d'oignons grelots cuits à blanc, 1 court-bouillon (voir page 142)

Pour le roux
60 g de beurre, 60 g de farine, jus des champignons, jus des oignons,
2 cuillerées à soupe de crème épaisse, sel et poivre, 1 jus de citron

Blanchir les ris de veau dans un court-bouillon : départ eau froide jusqu'à ébullition.

Les éplucher, les remettre dans le court-bouillon avec la garniture aromatique pendant 20 min à feu doux.

Une fois les ris de veau cuits, les couper en dés et les mélanger avec les oignons cuits ainsi que les champignons.

Faire un roux avec le beurre et la farine détendus avec le jus des champignons et le jus des oignons et un peu de court-bouillon.

Ajouter la crème épaisse, le sel, le poivre et le jus de citron.

Mélanger les ris de veau et les champignons ainsi que les oignons dans la sauce obtenue.

Réchauffer les vol-au-vent au four (140 °C) quelques minutes.

Puis les farcir avec le mélange des ris de veau et la sauce.

Servir chaud.

poêlée de ris de veau au citron et champignons des bois

Pour 4 personnes

2 pommes de ris de veau (380 g), 120 g de beurre, 1 cuillerée à soupe d'huile d'arachide, 2 jus de citron, 300 g de champignons des bois, 1 échalote, 20 g de persil, 2 cuillerées de farine, sel et poivre du moulin

Trier les champignons, les laver, éplucher et hacher l'échalote, hacher le persil.

Prendre une poêle antiadhésive, fondre 30 g de beurre, sauter les champignons jusqu'à ce qu'ils ne rendent plus d'eau, saler et poivrer. Garder au chaud.

Blanchir dans une russe les ris de veau, 3 min, refroidir, enlever la peau et les nerfs, les escaloper.

Mettre la farine dans une assiette, fariner les ris de veau des deux côtés, saler et poivrer.

Dans une poêle antiadhésive, fondre 60 g de beurre et l'huile à feu vif, rissoler les ris de veau, 4 min de chaque côté, les retirer du feu.

Prendre quatre assiettes plates, dresser les champignons au milieu, les ris de veau autour.

Verser le jus de citron dans la poêle avec le restant du beurre, vérifier l'assaisonnement, faire mousser, napper le beurre sur les ris de veau.

Servir très frais.

rognon de veau rôti dans sa graisse

Pour 4 personnes

2 rognons de veau dénervés en gardant leur graisse (bien les saler), 5 échalotes ciselées, 1 l de vin rouge, 1 bouquet garni, 10 cl de fond de veau, 60 g de beurre, sel, poivre

Rôtir les rognons avec leur graisse dans une cocotte pendant 15 à 20 min. Saler et poivrer.

En fin de cuisson, enlever la graisse fondue de la cocotte.

Ajouter les échalotes, le vin rouge ainsi que le bouquet garni.

Laisser cuire 15 min.

Retirer les rognons et laisser réduire la sauce en ajoutant le fond de veau.

Bien piquer les rognons pour faire sortir le sang.

Une fois la sauce réduite, monter au beurre et ajouter les rognons.

Couper en tranches et servir dans la cocotte.

andouillette à la moutarde

Pour 4 personnes

4 andouillettes (fraise de veau)

Pour la sauce moutarde
1 cuillerée à soupe de moutarde à l'ancienne, 2 échalotes ciselées,
5 cl de crème, 10 cl de vin blanc, sel, poivre

Dans un bol, mélanger les ingrédients de la sauce moutarde.

Dans un plat à gratin, mettre les andouillettes et verser le mélange de la sauce moutarde dessus.

Cuire 15 min au four à 160 °C/170 °C.

Servir chaud dans les assiettes.

Tendrons de veau à la bourgeoise

Pour 4 personnes

6 tendrons de veau, 50 cl de vin blanc, 5 cl d'huile, 80 g de beurre, ail

Pour la garniture
3 échalotes émincées, 4 tomates fraîches coupées en quatre, 1 carotte taillée
en brunoise, 1 bouquet garni (voir page 147)

Envolée de légumes de saison
carottes fanes, fenouil, bette, asperges, petits pois : en fonction de la saison

Dans une sauteuse, faire colorer les tendrons avec de l'huile et du beurre et ajouter la garniture (carotte, échalotes, ail, bouquet garni, tomates fraîches).

Déglacer au vin blanc.

Ajouter 50 cl d'eau et cuire le tout au four à 160° pendant 50 min.

Au moment de servir, parsemer de l'envolée de légumes que vous aurez fait sauter dans un wok ou une grande poêle.

Servir dans la cocotte.

paupiettes de veau
à la tapenade

Pour 4 personnes

4 escalopes de veau (bien les aplatir entre deux feuilles de papier film transparent avec de l'eau), sel, poivre

Pour la farce
200 g de noix de veau, 100 g de lard gras, 150 g de foie de veau (taillé en dés), 1 échalote ciselée suée au beurre, 60 g de tapenade, 1 bouquet d'oseille lavée et suée au beurre

Mélanger les ingrédients de la farce dans un grand bol.

Ensuite, prendre les escalopes et mettre la farce au milieu puis refermer.

Les ficeler et les braiser dans une cocotte.

Colorer de chaque côté et cuire 15 min en tout, dans une sauce à base de crème moutardée ou beaujolaise (voir page 143).

tête de veau tiède
en vinaigrette

Pour 4 personnes

1/2 tête de veau désossée et roulée par votre boucher, 1 carotte, 1 oignon, 3 gousses d'ail, 1 bouquet garni (voir page 147), 60 g de farine, gros sel, poivre en grains

Dans une casserole, préparer le court-bouillon avec la farine et cuire la tête de veau (début dans l'eau froide) pendant 2 h environ.

Une fois cuite, sortir la tête de veau et la couper en tranches.

Suggestion : la servir tiède accompagnée de légumes ou de pommes vapeur avec une vinaigrette ou une sauce gribiche.

tourte chaude de veau aux pruneaux

Pour 4 personnes

2 fonds de tarte feuilletée crus de 20 cm de diamètre
3 jaunes d'œufs (pour la dorure)

Pour la farce

250 g de noix de veau, 150 g de foie de veau, 150 g de lard gras,
200 g de gorge de porc, 4 échalotes émincées, 300 g de pousses d'épinard,
80 g d'amandes entières émondées, 100 g de pruneaux dénoyautés
et coupés en quatre, 5 cl de vin blanc, 2 cuillerées à soupe de cognac,
sel, poivre

Dans une poêle, faire suer au beurre les échalotes émincées et les pousses d'épinard.

Découper la noix de veau, le foie de veau, le lard gras et la gorge de porc en petits dés.

Dans un grand bol, mélanger les ingrédients de la farce.

Disposer cette farce en forme de tourte sur le feuilletage.

Refermer avec l'autre fond de tarte feuilletée.

Coller les deux ronds par les bords avec de l'eau à l'aide d'un pinceau.

Passer la dorure sur la surface et faire sécher 15 min environ puis remettre une deuxième couche de dorure.

Vous pouvez faire le dessin de votre choix à l'aide d'une pointe de couteau sur le « couvercle ».

Au centre de la tourte, faire une petite fontaine (percer une ouverture – fente – à l'aide d'un couteau).

Important : la tourte se cuit en deux étapes. Une première fois pendant 20-25 min à 140 °C. Puis augmenter la température pendant 20-25 min à 180 °C afin qu'elle soit cuite et croustillante.

Les volailles

pigeon en crapaudine

Pour 4 personnes

4 pigeons vidés en forme de crapaudine (enlever la colonne vertébrale et bien aplatir le pigeon), 10 gousses d'ail, 200 g de châtaignes épluchées et cuites, 2 échalotes ciselées, 60 g d'amandes émondées et torréfiées, 200 g d'oignons grelots cuits à blanc, 80 g de beurre, 5 cl d'huile d'arachide, sel, poivre

Enlever les ailerons, le cou et la colonne vertébrale des pigeons.

Les couper en petits morceaux, les faire colorer dans une cocotte.

Ajouter les gousses d'ail, bien dégraisser, mouiller à hauteur avec de l'eau et laisser cuire pour faire le jus pendant 25 min.

Enlever les carcasses, garder le jus.

Dans une autre casserole, faire suer les échalotes, ajouter les châtaignes déjà cuites, les amandes et les oignons.

Déglacer avec le jus des carcasses et monter au beurre pendant 10 min.

Rôtir les pigeons avec l'huile dans la cocotte pendant 10 min.

Une fois les pigeons cuits, mettre dans un plat et arroser avec la garniture. Servir chaud.

Lapin à la moutarde

Pour 4 personnes

1 lapin vidé et coupé en morceaux, 1 oignon, 1 carotte, 1 branche de céleri, 5 ou 6 gousses d'ail, 1 bouquet garni (voir page 147), 10 cl de vin blanc, 2 cuillerées à soupe de moutarde, 3 cuillerées à soupe de crème épaisse, 5 cl d'huile d'arachide, 50 g de beurre, sel, poivre

Rôtir les morceaux de lapin assaisonnés avec l'huile et le beurre jusqu'à ce qu'ils soient dorés et les déglacer au vin blanc.

Ajouter la garniture aromatique, mouiller à hauteur et laisser cuire pendant 40 min à feu doux.

Une fois cuits, enlever les morceaux.

Laisser réduire des trois quarts, enlever la garniture aromatique puis passer au chinois.

Lier le jus à la moutarde et ajouter la crème puis mixer le tout.

Rajouter les morceaux de lapin et servir chaud.

Suggestion : servir avec des pâtes fraîches...

pintade en forestière

Pour 4 personnes

1 pintade prête à cuire, 300 g de champignons de Paris, 100 g de poitrine fumée blanchie, 600 g de pommes de terre grenaille, 5 cl d'huile, 5 cl de fond de volaille, 10 gousses d'ail, 80 g de beurre, sel, poivre

Dans une cocotte, rôtir la pintade pendant 10 min de chaque côté et 20 min sur le dos. Saler et poivrer.

Aux trois quarts de cuisson, ajouter les champignons et les gousses d'ail.

Blanchir les pommes de terre dans une friteuse à 140 °C pendant 5-6 min. Les retirer. Les mettre dans une poêle, les faire sauter avec le beurre et l'huile.

Ajouter la poitrine coupée en petits dés. Cuire encore pendant 6 min.

En fin de cuisson, déglacer avec le fond de volaille.

Mettre la pintade sur un plat, rajouter la garniture autour et servir chaud.

cuisse de canard confite au porto avec son filet rose

Pour 4 personnes

1 canard de Barbarie de 3 kg, 10 cl de vin blanc, 20 cl de porto rouge, 10 cl de vin rouge, 40 cl de bouillon blanc, 100 g de beurre, 2 carottes, 2 oignons, bouquet garni, sel et poivre du moulin

Flamber le canard, enlever tous les picots des plumes, le vider, prélever les cuisses, les couper en deux morceaux, lever les filets, séparer l'aileron, découper la carcasse.

Éplucher les carottes et les oignons, les couper en gros dés.

Dans une cocotte en fonte, chauffer à feu vif 50 g de beurre, rissoler les cuisses de canard des deux côtés, ajouter oignons et carottes, suer 5 min.

Déglacer au porto, mouiller avec le vin blanc, le vin rouge, le bouillon blanc, les carcasses coupées, 10 g de sel gros, le bouquet garni, cuire 1 h 30 à feu doux.

Retirer les cuisses, les laisser au chaud, sur une assiette au four à 80 °C.

Passer le jus à la passoire étamine.

Dans un sautoir, chauffer 30 g de beurre, poêler les filets de canard, 6 min de chaque côté puis les découper en escalopes.

Déglacer le sautoir avec le jus des cuisses, réduire jusqu'à ce qu'il en reste 30 cl.

Monter au beurre, poivrer. Vérifier l'assaisonnement.

Prendre quatre assiettes plates, ranger les cuisses d'un côté, étaler en éventail les escalopes de filets de canard. Napper les cuisses avec la sauce.

Servir.

caille en cocotte lutée

Pour 4 personnes

4 belles cailles vidées, 4 fonds d'artichaut, 4 échalotes, 200 g de champignons de Paris, 50 g de raisins secs, 1 cl de vin blanc, 80 g de beurre, 200 g de feuilletage (fond de tarte), sel, poivre

Dans une cocotte, rôtir les cailles jusqu'à coloration avec le beurre, puis ajouter les échalotes, les fonds d'artichaut coupés en quatre, les champignons de Paris, les raisins, le sel et le poivre.

Suer le tout, déglacer au vin blanc.

Refermer la cocotte du couvercle et la cercler avec le feuilletage.

Cuire pendant 20 min au four à 180 °C.

Servir dans la cocotte.

vessie de poitrine
de volaille farcie aux morilles

Pour 4 personnes

*1 poularde de 1,6 kg, 1 vessie (chez votre boucher), 200 g de morilles
fraîches (coupées en deux et bien lavées), 1 échalote ciselée, 2 l de bouillon,
10 cl de crème, 5 cl de porto, 100 g de foie gras coupé en dés,
60 g de beurre, sel, poivre*

Désosser la poularde en gardant la peau et les deux suprêmes (filets) attachés ensemble.

Pour la farce

Passer les cuisses au robot-coupe, saler et poivrer. Mettre dans un grand bol.

Ajouter la crème et passer à l'étamine.

Cuire les morilles avec l'échalote dans une poêle avec un peu de beurre.

Déglacer au porto et laisser cuire 10 min.

Une fois les morilles et l'échalote cuites, les laisser refroidir et les mélanger à la farce.

Disposer la farce entre les deux suprêmes (saler et poivrer) et refermer avec la peau, puis ficeler le tout.

Introduire le suprême dans la vessie, ajouter les dés de foie gras puis saler et poivrer. Refermer avec de la ficelle.

Pocher la vessie dans le bouillon à 90 °C pendant plus de 1 h.

En fin de cuisson, sortir la vessie farcie dans un plat creux. Servir chaud.

Facultatif : vous pouvez mettre des tranches de truffe entre les suprêmes et la peau ou des pluches d'herbes.

Vous pouvez aussi ajouter des bâtonnets de légumes crus à l'intérieur de la vessie.

poulet au vinaigre

Pour 4 personnes

1 poulet fermier de 1,4 kg vidé, 2 cuillerées à soupe d'huile, 2 gousses d'ail, 5 échalotes émincées, 1 cuillerée à soupe de concentré de tomates, 10 cl de vinaigre, 20 cl de vin blanc, 1 bouquet garni (voir page 147), 10 cl de fond de veau, 50 g de beurre, sel, poivre

Lever les suprêmes (ou filets) et les cuisses.

Dans une cocotte, faire rôtir les morceaux de poulet à l'huile, ajouter les échalotes, l'ail, la cuillère de concentré de tomates

Faire bien colorer le tout et déglacer au vinaigre.

Réduire à sec, ajouter le vin blanc, faire réduire à nouveau et mouiller au fond de veau.

Ajouter le bouquet garni, le sel et le poivre.

Laisser cuire à feu doux pendant 40 min.

Une fois les morceaux de poulet cuits, les retirer, passer la sauce au chinois, faire réduire et monter avec le beurre.

Remettre les morceaux de poulet dans la cocotte et servir chaud.

Facultatif : une pointe d'estragon peut être rajoutée à la dernière minute.

Râble de lapin aux queues d'écrevisse

Pour 4 personnes

2 beaux râbles de lapin désossés par l'intérieur, 20 queues d'écrevisse (garder les carcasses), 3 blancs de poireau taillés en julienne et sués au beurre, 1 échalote, 2 tomates fraîches, 5 cl de vin blanc, 5 cl d'armagnac, 2 cuillerées à soupe de fond de veau, 150 g de crème liquide, 15 pluches d'estragon, 3 cuillerées à soupe d'huile d'olive, sel, poivre

Farcir les râbles avec la julienne de poireaux, les queues d'écrevisse et les pluches d'estragon puis les rouler dans un papier film bien beurré. Les réserver.

La sauce

Rôtir les carcasses d'écrevisse avec l'huile d'olive, ajouter l'échalote, les tomates, déglacer à l'armagnac et au vin blanc.

Ajouter le fond de veau puis la crème.

Laisser cuire 15 min et passer au chinois. Saler et poivrer.

Cuire les râbles à la vapeur dans un couscoussier pendant 15 min. Une fois cuits, les tailler en belles tranches.

Disposer dans un plat et ajouter la sauce dessus.

gratin dauphinois

Pour 4 personnes

1 kg de pommes de terre épluchées et taillées en rondelles de 3-4 mm,
1 l de crème liquide, 1 bouquet garni (voir page 147),
4 gousses d'ail écrasées, noix de muscade, sel, poivre

Dans une casserole, faire bouillir la crème avec l'ail, le bouquet garni, sel, poivre et noix de muscade.

Ajouter les pommes de terre et laisser mijoter 20 min environ à feu doux.

Mettre le tout dans un plat à gratin et laisser cuire à 130 °C pendant 1 h 30.

Servir chaud dans le plat.

les doigts-de-mort
à la lyonnaise

Pour 4 personnes

800 g de salsifis, 1 grosse noix de beurre, persil, ciboulette, échalote,
1 gousse d'ail, farine, 1 verre de crème, sel et poivre

Racler les doigts, bien les laver, les faire cuire 15 min à l'eau fraîche, les laisser refroidir, les essuyer avec un linge blanc, puis les dresser sur un plat en les réservant au chaud au four et à couvert.

A part, mettre dans une casserole le beurre, la ciboulette et les herbes, le tout haché.

Ajouter une gousse d'ail entière et passer sur le feu.

Saupoudrer de farine.

Ajouter la crème et laisser bouillir 15 min.

Enfin, passer la sauce au tamis dans une casserole.

Au moment de servir, ajouter un peu de beurre avec une pincée de persil blanchi et haché très fin.

Saler et poivrer.

Lier la sauce sur le feu, et napper les doigts-de-mort.

gratin de cardons à la moelle

Pour 4 personnes

1 kg de cardons, 1 l de lait, 1 l de bouillon de pot-au-feu, 300 g de moelle
bien dégorgée dans de l'eau glacée salée (2 h), 80 g de gruyère râpé,
80 g de beurre, 2 échalotes ciselées, sel, poivre

Éplucher les cardons (enlever tous les fils), les couper en bâtonnets de 5-6 cm puis les cuire dans du lait pendant 20 min à frémissement.

Une fois cuits, les égoutter et les passer dans une poêle au beurre avec les échalotes, sel et poivre.

Les mettre dans un plat à gratin, les recouvrir de bouillon de pot-au-feu et ajouter des tranches de moelle ainsi que le gruyère râpé.

Cuire au four pendant 40 min à 160 °C.

Servir dans le plat sorti du four.

gratin de macaronis

Pour 4 personnes

- *350 g de macaronis*

Pour la sauce Béchamel
40 g de farine, 40 g de beurre, 25 cl de lait, 25 cl de crème fraîche, sel, poivre, noix de muscade, 80 g de gruyère râpé

Préparation de la béchamel

Dans une casserole, faire fondre le beurre, ajouter la farine, le lait et la crème en mélangeant bien pour éviter les grumeaux.

Faire bouillir 2-3 min et assaisonner.

Cuire les macaronis « al dente » pendant 8 à 10 min (eau bouillante), puis les égoutter.

Mélanger la béchamel aux macaronis.

Verser le tout dans un plat à gratin, ajouter le gruyère et passer au four pendant 10 à 15 min. Il faut que ce soit gratiné.

Servir.

petits pois au lard

Pour 4 personnes

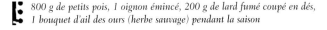

800 g de petits pois, 1 oignon émincé, 200 g de lard fumé coupé en dés, 1 bouquet d'ail des ours (herbe sauvage) pendant la saison

Dans un faitout, cuire les petits pois à l'anglaise (eau salée) pendant 5 min dans de l'eau bouillante.

Dans une poêle, faire revenir le lard avec l'oignon émincé, ajouter l'ail des ours ciselé et les petits pois.

Rajouter les petits pois dans la poêle, mélanger et servir chaud.

Suggestion : on peut remplacer l'ail des ours par du vert de cébette.

Facultatif : il est possible d'ajouter 10 cl de bouillon de poule avec le lard et les oignons.

Tomates farcies

Pour 4 personnes

8 tomates de taille moyenne, 5 cl d'huile d'olive, sel, poivre

Pour la farce

1 joue de bœuf cuite en pot-au-feu (pendant 2 h),
100 g de riz cuit à l'eau (10 min), 1 kg de tomates émondées et épépinées
préparées en concassée avec 2 échalotes, 3 gousses d'ail et
1 bouquet garni, 300 g de champignons de Paris lavés,
hachés et cuits en duxelles (cuits avec 1 échalote ciselée
jusqu'à évaporation de l'eau)

Herbes

1/2 bouquet de basilic, 1/2 bouquet de ciboulette, 1/2 bouquet de persil,
Ciseler toutes les herbes

Vider les tomates et les saler – le sel faisant sortir l'eau – et les retourner sur une grille. Garder les chapeaux.

Dans un grand bol, effilocher la joue de bœuf, ajouter le riz, la concassée, la « duxelles » puis les herbes ciselées.

Rectifier l'assaisonnement.

Farcir les tomates avec ce mélange. Les placer dans un plat à gratin, les arroser d'huile d'olive et mettre au four pendant 20 min à 180 °C.

Important : cette façon de préparer les tomates demande peu de cuisson car la farce est déjà cuite.

Facultatif : au fond du plat, vous pouvez mettre un lit de riz cru avec une noix de beurre car pendant la cuisson des tomates, l'eau des tomates cuira le riz.

poêlée de blettes
aux pignons de pin

Pour 4 personnes

1,2 kg de blettes, 40 g de farine, 1 jus de citron, 100 g de pignons de pin grillés (au four à l'aide d'un peu d'huile, 5 min à 160 °C), 3 tomates émondées et coupées en quartiers, 1/2 bouquet de persil en pluches (sans les branches), 1 échalote ciselée, 5 cl d'huile d'olive, sel, poivre

Éplucher les blettes en enlevant le vert.

Dans une casserole, préparer un blanc (farine, eau, citron, gros sel) et jeter les blettes dans ce « blanc » et les faire cuire pendant 15 min.

Les égoutter.

Les faire sauter à la poêle avec de l'huile, en ajoutant l'échalote, les tomates, les pignons de pin, sel et poivre.

Servir chaud.

Important : afin d'éviter de faire des grumeaux dans le « blanc », mettre la farine dans un chinois et laisser couler environ 1,5 l d'eau au-dessus.

salsifis aux copeaux de truffe

Pour 4 personnes

*1 kg de salsifis, faire un blanc (voir recette « Blettes aux pignons de pin »),
10 cl de fond de veau, 80 g de truffes (hachées ou en copeaux),
1 échalote ciselée, 50 g de beurre, sel et poivre*

Faire tremper les salsifis dans l'eau afin d'enlever tout le sable puis les éplucher.

Les tailler en tronçons de 5-6 cm. Les cuire dans le « blanc » pendant 10 min environ.

Les égoutter et les poêler au beurre avec l'échalote. Saler et poivrer.

Déglacer au fond de veau et ajouter les copeaux de truffe avant de servir.

pomme crique à la lyonnaise

Pour 4 personnes

1 kg de pommes de terre épluchées et râpées, 150 g de graines de maïs (déjà cuites), 2 œufs, huile d'arachide, sel, poivre, persil plat (ou le vert des oignons fanes)

Une fois râpées, bien presser les pommes de terre puis, dans un grand bol, incorporer tous les ingrédients.

Faire des galettes avec le mélange obtenu.

Dans une poêle antiadhésive, mettre de l'huile d'arachide (ou autre matière grasse) puis les pommes de terre en forme de galette pendant 3-4 min de chaque côté.

Les galettes doivent être bien colorées (les retourner avec une assiette).

Servir chaud.

gratin de courge

Pour 4 personnes

2 kg de courge épluchée et épépinée

Pour l'appareil à gratin
3 jaunes d'œufs, 2 œufs entiers, 50 cl de crème fraîche, 80 g de gruyère, sel, poivre, noix de muscade

Bien mélanger tous les ingrédients de l'appareil à gratin dans un saladier.

Couper la courge en quatre morceaux.

La cuire dans le panier d'une Cocotte-Minute pendant 8 min à la vapeur.

Une fois cuite, bien l'égoutter et retailler les gros morceaux en tranches plus fines.

Les disposer dans un plat à gratin et recouvrir de l'appareil à gratin.

Cuire pendant 50 min au four à 140 °C.

pommes boulangères

Pour 4 personnes

*1 kg de pommes de terre épluchées et taillées en tranches de 3-4 mm,
300 g d'oignons émincés cuits en marmelade avec du thym frais (faire suer les
oignons avec de la matière grasse et parfumer au thym, sel et poivre),
1 l de bouillon de poule (ou de bœuf), 100 g de beurre*

Facultatif : 150 g de poitrine fumée coupée en dés et blanchie

Prendre un plat à gratin de préférence rond et bien le beurrer.

Faire une rosace de pommes de terre au fond du plat, ajouter les oignons dessus et reproduire le même schéma en plusieurs couches, puis finir par une rosace de pommes de terre.

Recouvrir le tout de bouillon et laisser cuire 1 h 30 au four à 150 °C.

Si vous choisissez de mettre de la poitrine fumée, l'incorporer avec les oignons.

pommes sautées aux oignons

Pour 4 personnes

1 kg de pommes de terre épluchées et taillées en tranches de 5 mm,
2 oignons épluchés et coupés en petits quartiers, graisse de canard, sel, poivre

Dans une poêle en fer, mettre la graisse de canard.
Faire sauter les tranches de pomme de terre pendant 5 min.
À mi-cuisson, ajouter les oignons.
Continuer encore la cuisson pendant 5 min.
Saler, poivrer. Servir.

Facultatif : fleur de thym.

mâconnais aux olives

Pour 4 personnes

4 mâconnais, 60 g de purée d'olives noires ou vertes, 8 figues coupées en deux, 3 cuillerées à soupe de crème de cassis, 40 g de beurre, 1 cuillerée à café de poivre vert, 1 pincée de fleur de sel

Couper les mâconnais dans le sens de la hauteur. Entre les tranches ainsi obtenues, les farcir de purée d'olives.

Faire sauter les figues à la poêle dans le beurre.

Ajouter la crème de cassis et le poivre dans la poêle.

Disposer les mâconnais dans des assiettes. Mettre la poêlée de figues à part dans une terrine.

Servir tiède ou froid.

fromage fort « à ma façon »

Pour 4 personnes

prendre plusieurs fromages forts (de préférence du chèvre), 30 cl d'huile d'olive, 1 gousse d'ail émincée, 2 branches de thym, 1 branche de laurier, quelques grains de poivre

Mettre le tout à mariner dans un bocal pendant 12 h.

Enlever ensuite le laurier et le thym.

Passer au robot les fromages pour en faire une pâte.

Sur des feuilles de brick faire des petits baluchons et passer au four pendant 10 min à 160 °C.

Servir chaud avec des crudités.

cervelle de canut

Pour 4 personnes

2 fromages blancs (bien égouttés), 1 échalote ciselée,
1/2 bouquet de ciboulette ciselée, 1/2 gousse d'ail hachée,
1 cuillerée à soupe de vinaigre, 3 cuillerées à soupe d'huile d'olive,
1 cuillerée à soupe de crème double, sel, poivre

vin blanc sec (facultatif)

Dans un grand bol, incorporer au fur et à mesure, tous les ingrédients dans le fromage blanc.

Saler, poivrer.

Servir frais.

chèvre chaud,
palet de tomates au fenouil

Pour 4 personnes

2 crottins de Chavignol, 6 tomates émondées, coupées en rondelles et épépinées, 1 gousse d'ail émincée, thym, laurier, sel et poivre, 5 cl d'huile d'olive, 2 bulbes de fenouil lavés et émincés, 80 g de miel, 60 g de beurre, sel, poivre

Confire les quartiers de tomate au four pendant 1 h dans un plat à gratin, à 100 °C, avec l'huile d'olive, le thym, le laurier et la gousse d'ail émincée. Saler et poivrer.

Cuire le fenouil dans une sauteuse, mouiller à « blanc » avec le miel et le beurre. Saler et poivrer. Laisser confire.

Prendre quatre cercles de 6 cm de diamètre et disposer les pétales de tomates confites à l'intérieur en formant une rosace.

Ajouter le fenouil confit dessus, puis refermer avec les pétales de tomate.

Mettre dessus les crottins de Chavignol et passer au four 5 min à 160 °C.

saint-marcellin
aux croûtons à l'échalote

Pour 4 personnes

 4 fromages saint-marcellin, 100 g d'échalotes ciselées, 1/2 bouquet de persil haché, 1/2 bouquet de ciboulette ciselée, 100 g de beurre pommade, sel, poivre, 12 tranches de baguette coupées fines et grillées

Mélanger dans un bol tous les ingrédients (sauf les saint-marcellin).
Tartiner les tranches de pain avec ce mélange
Passer au four les tartines, pendant 2 min à 140 °C.
Servir avec les saint-marcellin.

abricots en gratin

Pour 4 personnes

10 abricots coupés en deux (enlever le noyau), 300 g de sucre, 50 cl d'eau,
1 jus de citron, 1/2 bouquet de basilic

Pour l'appareil à gratin
100 g de poudre d'amandes, 100 g de beurre, 100 g de sucre, 50 g de farine,
3 jaunes d'œufs, 3 cuillerées à soupe de rhum, 10 cl de crème fraîche

Dans une casserole, faire un sirop avec le sucre, l'eau, le jus de citron et le basilic.

Faire pocher les abricots dedans pendant 3 min.

Mélanger les ingrédients de l'appareil à gratin dans un grand bol.

Disposer les abricots dans des plats individuels allant au four.

Verser le mélange à gratin dessus et passer au four pour colorer la préparation pendant 3 min au gril.

Servir tiède.

soufflé aux macarons

Pour 4 personnes

20 petits macarons (au parfum de votre choix)

Pour l'appareil à soufflé
5 blancs d'œufs

Pour la crème pâtissière
20 cl de lait, 3 jaunes d'œufs (garder les blancs d'œufs), 50 g de sucre, 25 g de farine, 1/2 gousse de vanille

La crème pâtissière

Faire bouillir le lait avec la vanille coupée dans le sens de la longueur.

Dans un bol, blanchir les jaunes avec le sucre.

Ajouter la farine en remuant.

Verser le lait dessus et mettre le tout dans une casserole puis faire cuire à feu doux pendant 5 min.

Pour l'appareil à soufflé

Monter les blancs en neige, et les incorporer à la crème pâtissière.

Beurrer et sucrer les moules à soufflé.

Disposer des macarons dans un ramequin (tout autour).

Ajouter de l'appareil à soufflé dans le ramequin.

Mettre le ramequin dans un bain-marie, laisser 5-6 min à frémissement puis mettre au four pendant 20 min à cuire à 160 °C.

Servir tout de suite.

Beignet aux pommes

Pour 4 personnes

3 pommes épluchées et vidées par le milieu taillées en tranches, 100 g de sucre semoule (pour saupoudrer les beignets), Grand Marnier

Pour la pâte à beignet
150 g de farine, 1 œuf entier, 1 pincée de sel, 10 cl de bière, 10 cl de lait, 3 blancs montés en neige

Mariner les tranches de pomme dans le Grand Marnier.

Faire la pâte à beignet
Dans un grand bol, mélanger la farine, l'œuf, la bière, le lait, le sel et les blancs montés en neige.

Chauffer une friteuse à une température de 160 °C.

Tremper les tranches de pomme dans la pâte à beignet puis les cuire dans l'huile pendant 2-3 min.

Une fois cuits, égoutter les beignets sur un linge absorbant, puis les saupoudrer de sucre.

Servir tiède.

profiteroles
aux marrons Marthe

Pour 4 personnes

600 g de pâte à chou, 100 g de crème de marron Faugier, 50 cl de crème fleurette, 100 g de sucre glacé, 1 l de crème anglaise au café, 2 jaunes d'œufs

Prendre une plaque, la beurrer, remplir une poche, avec une douille de 5 mm de sortie, de pâte à chou.

Mouler sur la plaque des petits choux de 15 mm de diamètre, les dorer avec un pinceau trempé dans le jaune d'œuf.

Cuire au four à 220 °C, 15 min.

Monter la crème fleurette dans un bol avec un fouet, jusqu'à ce qu'elle soit très épaisse, sucrer, ajouter avec une spatule en bois la crème de marron.

Remplir les petits choux de crème, avec une poche, se servir d'une douille de 6 mm, garder au froid.

Juste avant de servir, verser la crème anglaise au café dans un saladier, parsemer les petits choux dessus.

Brioche aux pralines

Pour 4 personnes

250 g de farine, 10 g de levure de bière, 15 cl de lait, 3 jaunes d'œufs,
1 pincée de sel, 150 g de sucre semoule, 125 g de beurre, 180 g de pralines
concassées

Dans un grand bol, incorporer tous les ingrédients au fur et à mesure en mélangeant bien.

Beurrer un moule à cake. Verser cette préparation à l'intérieur du moule jusqu'à moitié.

Laisser « pousser » la brioche dans le moule à température ambiante pendant 1 h 30.

Quand la préparation est montée aux trois quarts du moule, mettre la brioche à cuire au four pendant 25 min à 180 °C.

Laisser refroidir.

Les beignets d'acacia

Pour 4 personnes

*125 g de farine, 1 œuf, 1 pincée de sel, 2 cuillerées de beurre fondu,
10 cl de bière, 10 cl d'eau, 300 g de fleur d'acacia, 150 g de sucre,
rhum blanc*

Mélanger la farine, l'œuf, le sel, le beurre, la bière et l'eau.

Laisser reposer sur un radiateur.

Après avoir nettoyé les fleurs d'acacia et les avoir débarrassées de leur pédoncule vert, les saupoudrer de sucre et les arroser de rhum blanc.

Laisser macérer 2 h.

Battre un blanc d'œuf en neige puis l'incorporer à la pâte à beignet.

Plonger les fleurs d'acacia dans le liquide en éliminant l'excédent.

Faire frire cuillerée par cuillerée.

Egoutter et saupoudrer de sucre en poudre.

Servir chaud.

Figues cardinales

Pour 4 personnes

*1 kg de figues fraîches, 100 g de fraises, 100 g de framboises, 100 g de cassis,
50 g de fraises des bois, 50 g de myrtilles, 160 g de sucre semoule,
1 jus de citron*

Passer tous les fruits rouges dans un moulin à légumes.

Mixer avec le sucre jusqu'à ce que le mélange soit très lisse.

Ajouter le jus de citron.

Essuyer les figues. Les couper sur le dessus en forme de croix, ne pas aller jusqu'au bout, elles doivent conserver une forme de fleurs.

Les mettre dans un plat creux de service.

Napper avec le coulis de fruits rouges.

Mettre au réfrigérateur pendant 4 h.

clafoutis aux framboises des monts du Lyonnais

Pour 4 personnes

250 g de framboises

Pour l'appareil à clafoutis
5 œufs, 110 g de sucre semoule, 90 g de farine, 25 cl de crème, 25 cl de lait

Dans un grand bol, mélanger les ingrédients de l'appareil à clafoutis en commençant par les œufs, la farine, la crème, le lait, et le sucre en dernier.

Beurrer un plat à œufs allant au four et disposer les framboises dessus. Recouvrir avec le mélange à clafoutis, et cuire pendant 50 min à 150 °C au four.

Saupoudrer de sucre glace.

Ce dessert peut se manger chaud ou froid.

Bugnes façonnées
en deux façons

Pour 4 personnes

500 g de farine, 100 g de beurre, 80 g de sucre semoule, 4 jaunes d'œufs, 10 g de sel fin, 1 jus de citron, 30 g de zeste d'orange, 3 cuillerées à soupe de Grand Marnier, 50 g de sucre glace

Dans un cul-de-poule, mélanger la farine, le sel, le sucre, le zeste.

Ajouter les jaunes d'œufs, le jus de citron, le Grand Marnier et bien mélanger le tout jusqu'à l'obtention d'une pâte.

Laisser reposer cette pâte pendant environ 1 h.

Préparer une friteuse à une température de 160 °C.

Etaler très finement la pâte, la façonner (découper avec un couteau en lanières avec une fente au milieu, et retourner) puis les faire frire.

Les sortir et les mettre sur un papier absorbant.

Les saupoudrer de sucre glace.

compotée de fruits

(abricots, poires, pêches, pruneaux)

Pour 4 personnes

300 g d'abricots, 4 poires, 4 pêches, 300 g de pruneaux

Pour les abricots
200 g de sucre, 40 cl d'eau, 1 bouquet de verveine, 1 jus de citron

Pour les poires
40 cl de vin, 100 g de sucre, 1 jus d'orange, 1 bâton de cannelle,
2 ou 3 clous de girofle

Pour les pruneaux
150 g de sucre, thé de Ceylan

Abricots pochés dans un sirop de verveine

Pocher les abricots avec la préparation obtenue pendant 3-4 min, à feu doux.

Poires pochées dans un vin chaud

Pocher les poires épluchées et épépinées (on peut les découper en quatre morceaux) dans ce mélange pendant 10 min.

Pour les pêches

Mêmes ingrédients que pour les abricots (sans la verveine)
poivre
Pocher les pêches dans ce mélange, pendant 3-4 min à feu doux.

Pruneaux pochés au thé de Ceylan

Faire un thé de Ceylan. Rajouter le sucre et pocher les pruneaux pendant 4 min, à feu doux.

Servir chaque fruit dans des coupes individuelles avec leur jus, froid de préférence.

crêpes

Pour 4 personnes

1 l de lait, 6 œufs entiers, 150 g de sucre semoule, 400 g de farine,
5 cl d'huile d'arachide, extrait de Grand Marnier

Dans un saladier, mettre la farine en fontaine, ajouter les œufs, le sucre, le lait, l'huile d'arachide et l'extrait de Grand Marnier.

Laisser reposer pendant 1 h-1 h 30 avant de faire les crêpes.

Dans une poêle à crêpes antiadhésive, verser une petite louche de la préparation du saladier.

Bien étaler.

Faire dorer de chaque côté environ 1 min.

Suggestion : vous pouvez servir avec une compotée de fruits.

fraises au vin

Pour 4 personnes

500 g de fraises *(lavées et équeutées)*

Pour le jus
1 jus d'orange, 20 cl de vin rouge, 1 bâtonnet de cannelle,
3 cuillerées à soupe de crème de cassis, 60 g de sucre

Dans une casserole, mélanger les ingrédients du jus et faire chauffer jusqu'à ébullition.

Laisser refroidir. Mettre les fraises dans un plat creux, et verser dessus le jus refroidi.

Mettre au frais.

gâteau de riz

Pour 4 personnes

200 g de riz rond, 100 g de fruits confits, 150 g de sucre semoule, 75 cl de lait, 150 g de sucre pour faire un caramel, 5 jaunes d'œufs

Mettre le lait avec le sucre et porter à ébullition, ajouter le riz et cuire doucement pendant 15 min.

Une fois cuit, ajouter les fruits et les jaunes d'œufs.

Faire le caramel : dans une casserole, mettre le sucre avec trois cuillerées à soupe d'eau. Faire dissoudre et chauffer pour faire le caramel.

Mettre le caramel dans un moule à génoise, ajouter le riz et mettre à cuire au bain-marie au four à 150 °C pendant 40 min puis laisser refroidir.

Démouler ensuite sur plat.

Couper en tranches et servir.

Tuiles

Pour 20 pièces

*125 g de beurre fondu, 125 g de sucre glace, 125 g d'amandes effilées,
2 g de sel fin, 50 g de farine*

Dans un grand bol, mélanger tous les ingrédients et laisser reposer pendant 2 h.

Sur des plaques à four antiadhésives, disposer avec une cuillère à soupe ce mélange (faire un cercle), et laisser un espace entre chaque tuile.

Cuire à 160 °C pendant 3-4 min.

Une fois les tuiles cuites, les mettre dans une gouttière jusqu'à refroidissement.

Suggestion : si vous n'avez pas de gouttière, utilisez votre rouleau à pâtisserie ou une bouteille vide pour leur donner leur forme incurvée.

île flottante

Pour 4 personnes

*10 blancs d'œufs, 80 g de sucre, 80 g d'amandes effilées et grillées,
1 l de lait (pour cuire les îles flottantes)*

Pour la crème anglaise
6 jaunes d'œufs, 125 g de sucre, 50 cl de lait, 1 gousse de vanille

Pour le caramel
150 g de sucre, 3 cuillerées à soupe d'eau

Faire bouillir le lait avec la gousse de vanille coupée en deux.

Dans un bol, blanchir les jaunes avec 125 g de sucre.

Mélanger ensuite le lait avec les jaunes blanchis.

Laisser cuire ce mélange pendant 3 min dans une casserole.

Préparer un caramel avec le sucre et l'eau.

Monter les blancs en neige et ajouter 80 g de sucre.

A l'aide d'une petite louche, les façonner et les pocher dans du lait pendant 4-5 min de chaque côté.

Mettre la crème anglaise dans un plat creux. Ajouter les îles flottantes, parsemer avec les amandes effilées et le caramel.

Suggestion : si la crème est trop cuite et forme des grumeaux, vous pouvez la mixer et passer au chinois.

galette bressane

Pour 4 personnes

250 g de farine, 10 g de levure de bière, 15 cl de lait, 3 jaunes d'œufs, 1 pincée de sel, 150 g de sucre semoule, 190 g de beurre, 50 g de sucre grain

Dans un saladier, faire une fontaine avec la farine.

Ajouter la levure détendue dans le lait puis les œufs, le sucre semoule, 125 g de beurre et la pincée de sel.

Laisser monter la pâte pendant 1 h 30.

Une fois montée, étaler la pâte en lui donnant une forme ronde assez épaisse (2 cm).

Ajouter dessus 65 g de beurre et le sucre en grain bien répartis.

Cuire pendant 25 min à 180 °C au four. Servir tiède.

Important : ne jamais mettre le sel dans la levure au risque d'empêcher la levure de faire lever.

matefaims

Pour 4 personnes

*2 grosses pommes épluchées, 150 g de farine, 2 jaunes d'œufs,
100 g de sucre semoule, 50 g de beurre, 15 cl de lait, sel*

1/2 jus de citron, alcool de votre choix (cognac, eau-de-vie, etc.) (facultatif).

Couper les deux grosses pommes en petits dés et ajouter un demi-jus de citron.

Séparer les jaunes des blancs.

Dans un grand bol, monter les blancs en neige.

Dans un saladier, mettre la farine, le sucre, le beurre fondu et les jaunes avec le lait.

Incorporer les blancs en neige et ajouter les dés de pomme.

Dans une poêle à blinis antiadhésive, mettre le mélange obtenu.

Laisser cuire pendant 10 min au four à 160 °C.

Suggestion : on peut aussi cuire la pâte à matefaim dans une poêle beurrée, 3 min de chaque côté.

mousse au chocolat

Pour 4 personnes

5 œufs, 200 g de chocolat noir, 80 g de sucre semoule, 1 pincée de sel

Séparer les jaunes des blancs.

Dans un saladier, blanchir les jaunes avec le sucre à l'aide d'un fouet.

Monter les blancs avec la pincée de sel dans un autre bol.

Faire fondre le chocolat au bain-marie.

Incorporer les jaunes dans le chocolat puis ajouter les blancs montés en neige très doucement.

Mettre au réfrigérateur pendant 2 h.

pommes au four

Pour 4 personnes

4 pommes bien lavées, 4 cuillerées de gelée de groseille, 80 g de beurre, 80 g de sucre, 1 bâtonnet de vanille

Dans un plat à gratin, disposer les pommes et la gelée dessus puis le sucre et le beurre.

Ajouter le bâtonnet de vanille et cuire au four pendant 45 min à 140 °C.

Servir chaud avec une quenelle de glace à la vanille.

mille-feuille au feu de l'enfer

Pour 4 personnes

300 g de feuilletage étalé et cuit au four à 180 °C

Pour la crème pâtissière
4 jaunes, 25 cl de lait, 25 g de farine, 25 g de sucre, 1 gousse de vanille, 50 g de beurre, 100 g de sucre glace

Pour faire la crème pâtissière :

Faire bouillir le lait avec la vanille.

Dans un cul-de-poule, mettre les jaunes, le sucre et la farine et verser le lait dessus.

Laisser cuire le tout jusqu'à épaississement.

Faire refroidir et ajouter les 50 g de beurre.

Tailler trois rectangles de feuilletage réguliers.

Sur une tranche, disposer la moitié de la crème pâtissière.

Sur une deuxième tranche, disposer le reste.

Superposer les deux tranches, puis finir avec la troisième tranche.

Saupoudrer le dessus de sucre glace et à l'aide d'une brochette ou d'une fourchette à rôtir dont on a fait rougir les pointes, caraméliser le dessus du mille-feuille (vous pouvez dessiner).

Important : afin de le rendre plus croustillant, vous pouvez badigeonner le feuilletage d'une gelée d'abricot.

Bavarois aux marrons

Pour 4 personnes

4 œufs, 100 g de sucre, 50 cl de lait, 3 feuilles de gélatine, 100 g de crème de marron, 50 cl de crème fleurette, 100 g de marron glacé (brisure)

Faire une crème anglaise.
Tremper les feuilles de gélatine dans un peu d'eau froide. Les ajouter à la crème encore chaude.

Bien remuer le mélange.

Laisser refroidir la crème anglaise.

Monter la crème en chantilly très ferme.

Ajouter la crème de marron.

Mélanger jusqu'à ce que ce soit très lisse.

Incorporer la crème anglaise et la chantilly à la crème de marron.

Verser les brisures de marron glacé.

Mettre dans un moule à bavarois. Laisser 6 h au réfrigérateur. Servir avec une sauce au chocolat amer.

pêches au poivre vert

Pour 4 personnes

*4 pêches dénoyautées et coupées en deux, 4 tranches de pain d'épice taillées à l'emporte-pièce de 8 cm de diamètre, 100 g de miel d'acacia,
1 branche de romarin, 1 cuillerée à soupe de poivre vert concassé,
1 jus de citron, 40 g de beurre*

Mettre dans une cocotte le miel, la branche de romarin, 20 g de beurre.

Ajouter les pêches.

Cuire pendant 5-6 min à feu doux.

Retirer les pêches.

Faire réduire le miel dans la cocotte.

Ajouter le poivre vert.

Déglacer au jus de citron et monter au beurre (avec 20 g de beurre).

Remettre les pêches.

Disposer dans une assiette creuse les pêches sur le pain d'épice, entourées de la sauce.

Suggestion : on peut accompagner avec une boule de glace de son choix (ex. noix de coco).

profiteroles

Pour 4 personnes

Pour la pâte à choux
25 cl d'eau, 200 g de farine, 100 g de beurre, 2 g de sel fin, 10 g de sucre,
4 jaunes d'œufs

Pour la sauce chocolat
5 cl de lait, 3 cuillerées à soupe de crème double, 100 g de chocolat noir

Mettre les tous les ingrédients de la pâte à choux dans une casserole
(sauf les jaunes d'œufs).

Bien remuer jusqu'à former une pâte épaisse (elle doit être bien desséchée), puis rajouter les jaunes, un par un, en remuant.

En dehors du feu, à l'aide d'une petite cuillère, faire des petits choux avec la pâte obtenue.

Les disposer sur une plaque allant au four et les cuire 10 min à 160 °C. Laisser les choux refroidir.

Préparer une sauce chocolat : Faire bouillir le lait, la crème double puis incorporer le chocolat noir en remuant.

Couper les choux en deux, les remplir de glace à la vanille.

Au moment de servir, arroser les choux avec la sauce au chocolat tiède.

tarte aux pralines

Pour 4 personnes

400 g de pralines de belle qualité, 500 g de crème liquide

Pour la pâte à tarte
150 g de farine, 100 g de poudre d'amandes, 125 g de beurre,
50 g de sucre semoule, 3 jaunes d'œufs, 8 cl de lait

Sur une planche à pâtissier, mélanger la farine avec la poudre
d'amandes, ajouter les jaunes d'œufs, le sucre et le beurre puis finir par le
lait.

Laisser reposer la pâte ainsi obtenue pendant 1 h dans le réfrigérateur.

Faire bouillir la crème, ajouter les pralines et laisser cuire pendant
30 min à feu doux, afin que le liquide épaississe.

Etaler la pâte et la disposer dans un moule à tarte. Piquer éventuellement la pâte avec une fourchette et laisser reposer.

Précuire la pâte au four pendant 15 min à 140°.

Sortir la pâte du four et remplir ce fond de tarte du mélange de la crème aux pralines.

Remettre au four et cuire 30 min à 160 °C.

Laisser refroidir avant de servir.

Tarte citron meringuée

Pour 4 personnes

Pour la pâte brisée
250 g de farine, 180 g de beurre pommade, 4 g de sel, 5 g de sucre,
1 jaune d'œuf, 5 cl de lait

Pour l'appareil à citron
3 œufs, Maïzena, 80 g de beurre, 100 g de sucre, 5 jus de citron,
2 citrons en zeste

Pour la meringue
5 blancs d'œuf, 100 g de sucre glace

Mettre la farine en fontaine. Ajouter le beurre, bien incorporer.

Ajouter le jaune d'œuf, le sel, le sucre et le lait.

Pétrir, faire une boule de pâte et laisser reposer 1 h au réfrigérateur.

Dans un bol, monter les jaunes d'œufs et la Maïzena, avec le jus de citron et le sucre.

Verser dans une casserole et laisser cuire à feu doux jusqu'à épaississement.

Dans cette préparation, ajouter les zestes de citron et laisser refroidir avant d'ajouter le beurre.

Etaler la pâte brisée dans un moule à tarte.

Verser la préparation de l'appareil à citron sur cette pâte et cuire pendant 20 min à 170 °C.

Laisser refroidir au réfrigérateur.

Monter à l'aide d'une pincée de sel les cinq blancs. Incorporer le sucre glace.

Sortir la tarte et ajouter l'appareil à meringue et finir au four 5 min à 170°.

court-bouillon

2 l d'eau, 1 carotte, 1 oignon, 1 branche de céleri, 2 poireaux entiers,
1 bouquet garni, 4 gousses d'ail

Faire cuire le tout dans un faitout.

*Facultatif : si l'on ajoute du vinaigre, on obtient un court-bouillon pour
les poissons ou les crustacés.*

sauce beaujolaise

2 échalotes ciselées, 3 champignons de Paris, 1 gousse d'ail, 20 cl de vin rouge, farine, 1 cuillerée à soupe de crème fraîche épaisse, sel et poivre

Dans une poêle, faire suer les échalotes avec les champignons et l'ail. Saupoudrer de farine, ajouter le vin rouge et faire réduire de moitié.

Passer la sauce au chinois et la détendre (ou désépaissir) avec une cuillerée de crème fraîche épaisse, saler et poivrer.

sauce gribiche

50 g de cornichons, 30 g de câpres, 1 œuf dur haché, 3 à 4 branches de per-sil en pluches et hachées, 1 cuillerée à café de moutarde, 5 cuillerées à soupe d'huile, 2 cuillerées de vinaigre, sel et poivre

Mettre d'abord la moutarde et le vinaigre, puis le sel et le poivre. Monter à l'huile.

Rajouter les câpres, les cornichons, le persil et l'œuf dur haché. Mélanger tout au long de l'opération.

sauce vierge

1 tomate émondée et épépinée coupée en dés, 1 citron épluché et en quartiers, 1 cuillerée à soupe de câpres, 10 cl d'huile d'olive

Mettre dans un bol le citron, sel et poivre, puis l'huile d'olive. Rajouter les câpres et les dés de tomate.

Facultatif : rajouter des herbes (persil, ciboulette).

La sauce lyonnaise

Pour 50 cl de sauce

4 oignons, 50 g de beurre, 20 cl de vinaigre,
20 cl de vin blanc, 40 cl de bouillon de bœuf,
1 cuillerée à soupe de concentré de tomate, sel et poivre

Peler et hacher les oignons.

Dans une casserole, faire fondre le beurre puis ajouter les oignons. Les faire cuire jusqu'à ce qu'ils blondissent.

Lorsqu'ils sont presque cuits, verser le vinaigre et le vin.

Laisser réduire jusqu'à ce qu'il ne reste que le volume d'un demi-verre de liquide dans le fond de la casserole.

Ajouter le bouillon et le concentré de tomate et laisser mijoter doucement une dizaine de minutes.

Saler et poivrer.

Cette sauce sert à accompagner les poissons et les viandes blanches.

Diverses informations ou glossaire

Beurre pommade : beurre ramolli à température de la pièce.

Bouquet garni : 1 feuille de poireau, 1 branche de céleri, 1 branche de thym, quelques queues de persil, 2 feuilles de laurier. Ficeler le tout ou l'envelopper dans une mousseline.

Brunoise : tailler en petits dés (de 5 mm).

Cébettes : petits oignons nouveaux.

Champignons en duxelles : passer les champignons dans un robot-coupe, on obtient une purée grossière. La cuire avec une échalote ciselée.

Cuire à l'anglaise : cuire dans une eau salée à ébullition pour un légume vert.

Dégraisser : récupérer les morceaux en enlevant la graisse.

Faire un « blanc » : une casserole avec de l'eau, de la farine, du gros sel et un jus de citron.

Mirepoix : tailler en gros dés.

Mouiller à hauteur : recouvrir d'un liquide tous les ingrédients.

Parures : ce sont les morceaux enlevés par le boucher quand il prépare la viande.

Persil en pluches : persil effeuillé.

Pocher : cuire un aliment dans de l'eau à frémissement.

Réserver : mettre à part.

Suer : faire revenir dans du beurre sans colorer.

Tamis : passoire avec une grille très fine.

table des recettes

LE MENAGIER (viandes, volailles et gibiers) **52**

L'agneau 52

Le bœuf 59

© 2005, Édilarge S.A., Éditions Ouest-France, Rennes
Cet ouvrage a été imprimé en France par Pollina à Luçon (85) - n° L95825
ISBN 2.7373.3635.X - N° d'éditeur : 4836.01.06.02.05
Dépôt légal février 2005